tout le monde peut faire ses conserves

ANNE BORELLA

tout le monde peut faire ses conserves

Traduit de l'anglais par

Mirelle Beaulieu

alain stanké

Éditions internationales Alain Stanké Ltée
2100, rue Guy
Montréal
(514) 935-7452
Distributeur :
Les Distributions Éclair Ltée
8320, place de Lorraine
Ville d'Anjou
(514) 353-2550
Maquette de la couverture :
J.G.R. Watkins
Photographie de la couverture :
René Delbuguet
Illustrations :
Axel Anderson, Richard Rosenblum et Sylvie Barrière
Tous droits de reproduction, d'adaptation
et de traduction réservés.
©Copyright, Ottawa, 1974 :
Dominion Glass Company Limited
©Copyright, Ottawa, 1976 :
Éditions internationales
Alain Stanké Ltée
Dépôt légal :
Bibliothèque nationale du Québec
2e trimestre 1976

ISBN 0-88566-022-6

Table des matières

1. Introduction à la mise en conserve 9
Planification annuelle de la mise en conserve. Agents de corruption. Planification. Choix de produits. Conseils. Évaluation des quantités.

2. Méthodes de mise en conserve et outillage 28
Marmite ouverte. Remplissage à froid ou cru. Remplissage à chaud. Stérilisation par bain d'eau. Stérilisation à vapeur sous pression. Outillage. Bocaux à conserves et fermetures. Comment sceller les bocaux. Comment les stériliser. Test d'herméticité. Rangement des conserves. Ouverture des bocaux.

3. Fruits et légumes acides 46
Choix des fruits. Altitudes et temps de stérilisation. Sirops. Préparation. Espace de tête. Méthode générale de mise en conserve des fruits. Mise en conserve sans sucre. Stérilisation des fruits dans un stérilisateur à vapeur sous pression. Tableaux de recettes. Recettes.

4. Légumes 61
Choix des légumes. Altitudes et temps de stérilisation. Sel. Espace de tête. Remplissage des bocaux. Mise en garde contre la corruption. Méthode générale de mise en conserve des légumes. Mise en garde. Tableaux de recettes.

5. Confitures, marmelades de fruits, conserves, marmelades et beurres 70
Acide, sucre et pectine. Essai de pectine. Test de consistance. Bocaux. Scellage des bocaux. Méthode générale pour la préparation des confitures. Recettes de confitures, marmelades de fruits, conserves. Méthode générale pour la préparation des mamelades. Recettes de marmelades et de beurres.

6. Gelées   101

Fruits pour gelée. Extraction du jus des fruits. Essai de pectine. Test de consistance. Remplissage des bocaux. Méthode générale pour préparer la gelée. Tableau de gelées. Recettes.

7. Marinades, relish, chutney et sauces   112

Ingrédients. Outillage. Méthode générale pour faire les marinades. Altitudes et temps de stérilisation. Causes de la mauvaise qualité des marinades. Recettes.

8. Le savez-vous ?   146

Questions et réponses concernant la mise en conserve.

9. Congélation   161

Index   166

1. Introduction à la mise en conserve

Ce livre est destiné aussi bien à la maîtresse de maison experte dans l'art de la mise en conserve qu'à celle qui n'en a jamais fait. Toutes deux y puiseront de précieux renseignements concernant d'abord ces agents destructeurs, responsables peut-être de la corruption de leurs conserves. Il leur décrit ensuite, pièce par pièce, l'outillage nécessaire, détaille les différentes méthodes utilisées dans la mise en conserve, en définit parfaitement la terminologie et explique pourquoi les méthodes et les instructions doivent être suivies à la lettre si l'on veut obtenir d'excellents résultats. Nous voulons vous faire connaître ce que vous devez faire et pourquoi vous devez le faire. N'omettez surtout pas de lire attentivement toutes les instructions, une ou même deux fois. Il est important de toujours planifier et de bien vous organiser avant de vous mettre à l'œuvre. Cela vous aidera à travailler efficacement et simplifiera la tâche de la mise en conserve à la maison. Ça vous semblera alors plus facile que vous ne l'aviez imaginé et vous y prendrez beaucoup de plaisir.

Comme le coût des aliments augmente sans cesse, de plus en plus de gens ont converti leur arrière-cour en potager, et c'est avec un mélange d'intérêt, de fierté et d'émotions qu'ils observent, au jour le jour, la croissance de leurs légumes. Même les enfants trouvent excitant de voir comment poussent les concombres et les courges, et de découvrir d'où la fève grimpante prend son nom.

Aujourd'hui, pour ne pas trop trancher sur son entourage, il faut parfois, tout en mangeant très bien, s'appliquer à avoir des notes d'épicerie pas trop élevées, preuve de l'ingéniosité de la maîtresse de maison et de son savoir-faire dans le choix et dans la préparation des aliments. Au temps des récoltes, la famille avisée se réunit et travaille en équipe pour mettre en conserve le surplus de chaque cueillette de fruits et de légumes pour consommation future.

Même si vous ne possédez pas de potager, vous serez attirée par l'abondance et les bas prix, en saison, des fruits et des légumes frais offerts dans les marchés locaux ou dans les kiosques le long des routes, à la campagne. En présentant à votre famille un plus grand choix de légumes et de fruits, vous ajouterez de l'intérêt et de la variété à vos repas durant les mois d'hiver et, par la même occasion, vous réaliserez de substantielles économies.

Si vous projetez la mise en conserve pour raison d'économie, ou simplement pour votre plaisir, vous trouverez rémunérateur et satisfaisant de voir les tablettes de votre garde-manger garnies de bocaux pleins de bons fruits et légumes de l'été. Vous découvrirez même un plaisir insoupçonné lorsque vos enfants développeront un intérêt nouveau pour les aliments auxquels ils se refusaient auparavant. S'ils en ont surveillé la croissance et s'ils ont aidé à leur mise en conserve, ils vous surprendront en mangeant fruits et légumes avec fierté, et profit surtout.

Planification annuelle de la mise en conserve

Vous pouvez décider de mettre en conserve seulement le surplus de la récolte de votre potager. Cependant, si vous désirez bénéficier des avantages des bas prix des produits en saison, vous évaluerez les besoins alimentaires de votre famille pour les mois où certains aliments sont hors saison ou trop coûteux pour les inclure dans un budget alimentaire. Cela vous permettra de déterminer la quantité de chacun des fruits et des légumes que vous mettrez en conserve.

Les régimes alimentaires publiés par le gouvernement nous enseignent que nous devrions manger deux portions de fruits et de légumes chaque jour, dont un sera de la famille des agrumes ou des tomates riches en vitamine C, assurant ainsi une provision quotidienne de cette vitamine que le corps n'emmagasine pas. Le tableau suivant vous aidera à répondre aux besoins quotidiens de vitamines et de minéraux nécessaires à une bonne santé.

Guide de planification alimentaire

Produits	Vita-mines*	Portions	Quantité	Par personne	Pour une famille de 5 personnes
Agrumes	C++	3 par sem. 30 sem.	1 tasse	22 pintes	110 pintes
Tomates et jus de tomate	A et C+ A et C	4 par sem. 40 sem.	1 tasse	40 pintes	200 pintes
Pommes	C	2 par sem. 15 sem.	½ tasse	4 pintes	20 pintes
Baies		2 en 3 sem. 40 sem.	½ tasse	3½ pintes	17 pintes
Cerises	A et C	2 en 3 sem. 40 sem.	½ tasse	3½ pintes	17 pintes
Jus de fruit		2 par sem. 30 sem.	1 tasse	15 pintes	75 pintes
Pêches	A et C	2 par sem. 40 sem.	½ tasse	10 pintes	50 pintes
Poires		1 en 2 sem. 32 sem.	½ tasse	2 pintes	10 pintes
Prunes		1 en 2 sem. 40 sem.	½ tasse	2½ pintes	12 pintes
Asperges	A et C	1 en 2 sem. 30 sem.	½ tasse	2 pintes	10 pintes
Haricots verts	A et C	2 par sem. 36 sem.	½ tasse	9 pintes	45 pintes
Fèves de Lima	A et B	1 en 2 sem. 36 sem.	½ tasse	2¼ pintes	11 pintes
Betteraves	C	1 par sem. 30 sem.	½ tasse	4 pintes	20 pintes

Produits	Vita-mines*	Portions	Quantité	Par personne	Pour une famille de 5 personnes
Carottes	A+	2 par sem. 12 sem.	½ tasse	3 pintes	15 pintes
Maïs jaune	A	1 par sem. 38 sem.	¼ tasse	3 pintes	15 pintes
Légumes verts	A++	2 par sem. 16 sem.	½ tasse	4 pintes	20 pintes
Okra	A et C	Occasionnel-lement. 36 sem.	½ tasse	2 pintes	10 pintes
Pois	A et C	1 par sem. 38 sem.	¼ tasse	5 pintes	25 pintes
Choucroute		1 en 2 sem. 40 sem.	½ tasse	2½ pintes	13 pintes
Succotash	A et B	Occasionnel-lement. 36 sem.	½ tasse	1 pinte	5 pintes
Gelées		2 par sem. 52 sem.	2 c. à table	13½ pintes	67½ pintes
Marmelades de fruits		2 par sem. 52 sem.	2 c. à table	13½ pintes	67½ pintes
Marinades		1 par sem.			30 pintes

*Si la vitamine figure au tableau, c'est qu'elle se présente en quantité impor-
tante à l'alimentation. Un signe + indique si l'aliment en est une bonne
source. Deux signes + en indiquent une grande quantité.

Mise en conserve

La corruption des denrées est due à l'action des micro-
organismes qui nous environnent et des enzymes, un
groupe complexe de produits chimiques inhérents à tous les
aliments. Bien que ces agents soient invisibles à l'œil, la maîtresse de maison avisée doit connaître leur existence et les
conditions qui favorisent leur survie et leur reproduction ;

elle peut alors choisir la meilleure méthode pour les contrôler, les neutraliser et les détruire.

La mise en conserve est l'application de procédés scientifiquement expérimentés permettant de conserver sans danger les aliments, dans les meilleures conditions, durant une période de temps prolongée, après avoir enrayé la croissance ou l'action des agents de corruption. On peut recourir à plusieurs procédés pour conserver les aliments, y compris la congélation, la déshydratation et l'irradiation. Ce livre traite de la destruction ou de la neutralisation des agents de corruption grâce au procédé de stérilisation par chauffage. Les aliments ainsi stérilisés sont placés dans des bocaux hermétiquement scellés, à l'épreuve de toute contamination et garantissant une consommation sans risque d'empoisonnement. Lorsque vous vous serez familiarisée avec ces techniques, vous aurez le choix d'une étonnante sélection de délicieuses recettes.

Agents de corruption
Enzymes
Les enzymes sont des substances chimiques inhérentes à toutes matières vivantes. Elles peuvent causer des changements, souhaitables ou non, dans les aliments et sont utiles dans la régularisation du métabolisme des animaux, dans la maturité des fruits et des légumes, dans la tendreté de la viande. Au moment de la pleine maturité des fruits et des légumes, l'action des enzymes doit être enrayée, sinon elles continueront d'agir jusqu'à ce que les denrées soient impropres à la consommation. Elles sont la cause du changement de couleur, de saveur et de texture des aliments. Le traitement par chauffage les rend inactives ou les détruit. Cependant, durant la mise en conserve, si les aliments sont chauffés trop lentement, les enzymes peuvent agir avant d'être neutralisées. Par exemple, dans la mise en conserve de fruits de couleur pâle, tels que les pêches, les poires et les pommes, lorsqu'il y a un délai trop long entre le remplissage des bocaux et la stérilisation, ou lorsque l'eau du

stérilisateur atteint trop lentement le point d'ébullition, les enzymes ont l'opportunité d'agir. Il en résulte des fruits si peu attrayants qu'ils auraient avantage à être servis seulement durant une panne d'électricité.

Micro-organismes
Puisque les micro-organismes existent partout, il est évident qu'ils se retrouvent dans la nourriture. Les levures, les moisissures et les bactéries sont des micro-organismes qui affectent les aliments. Comme les enzymes, certains organismes entraînent des effets bénéfiques dans les aliments. Cependant, la plupart d'entre eux sont responsables des effets indésirables qui causent la corruption des aliments. Certaines formes de cette corruption changent l'apparence, l'odeur, la texture ou le goût ; d'autres ne sont pas facilement décelables.
Le sel, le sucre et l'humidité affectent et influencent la croissance des moisissures, des levures et des bactéries. Sans humidité, ces organismes ne peuvent croître ; ils demeurent simplement dans un état latent jusqu'à ce que des conditions favorables les réaniment.

Moisissures
La corruption par moisissure est facile à déceler : vous pouvez voir apparaître sur les aliments une croissance duveteuse de couleurs variées — blanche, grise, noire, rouge, verte, bleue — dépendamment de la sorte de moisissures. Il se produit des spores qui sèchent et flottent dans l'air, retombent sur les aliments ou autres objets organiques appropriés, et recommencent leur cycle de développement.
Les moisissures se développent sur une grande variété d'aliments : les aliments acides comme les oranges et les citrons, les aliments neutres comme le pain et la viande, les aliments sucrés comme les confitures et les gelées. Bien qu'elles préfèrent les endroits sombres et humides et les températures de 70 à 90F (20 à 32C), elles peuvent aussi se développer à la température du réfrigérateur. Habituellement, une courte ébullition suffit pour les éliminer.

14   Certaines moisissures produisent des substances

nocives qui, si elles sont absorbées et accumulées dans le système, peuvent éventuellement causer la maladie. Par conséquent, les confitures, les gelées, les conserves, les marmelades de fruits, etc. qui présentent tout signe de moisissures doivent être jetées.

Levures

Les levures ont besoin d'humidité, de sucre et d'air pour se développer. Elles peuvent transformer le sucre en bioxyde de carbone et en alcool. Certains aliments, tels que les jus de fruits, fermenteront s'ils sont laissés à la température de la pièce, même pour peu de temps. Le jus sentira et goûtera l'alcool et deviendra gazéifié (i.e. il contiendra des bulles de bioxyde de carbone).

L'ébullition détruira les levures. Cependant, la recontamination en raison d'une protection inadéquate des aliments en conserve est toujours à craindre, comme c'est souvent le cas pour les confitures et les gelées. Les levures, préparées ou naturelles, toujours présentes dans l'atmosphère, affectent les saumures utilisées pour les marinades de concombres et la choucroute. Elles forment une pellicule sèche à la surface et consomment l'acide organique formée durant la fermentation.

Bactéries

Les bactéries sont des organismes microscopiques unicellulaires qui se multiplient rapidement dans des conditions favorables. Comme les moisissures et les levures, certaines bactéries sont nécessaires à la conservation des aliments. D'autres sont la cause de leur corruption, et un petit nombre d'entre elles produisent des toxines mortelles. Les bactéries sont utilisées dans le vieillissement du fromage, dans la préparation du vinaigre et pour transformer le lait et en faire du yogourt, du lait de beurre et de la crème sure. Les saumures sont conservées grâce à l'action des bactéries qui forment l'acide lactique.

Les bactéries sont considérées comme les microorganismes les plus actifs et, par conséquent, les plus difficiles à contrôler. Elles varient grandement dans leurs besoins 15 d'humidité, de température, d'acidité, d'aliments et d'oxygène. La corruption bactérielle des aliments en conserve n'est pas toujours évidente. Souvent, l'apparence, la senteur, la texture ou le goût ne la trahissent pas ; aussi il est très important que la maîtresse de maison qui fait ses propres conserves connaisse les différents types de bactéries susceptibles d'affecter la conservation des aliments. Une bonne connaissance des particularités des différentes bactéries vous fera réaliser l'importance de suivre sc gneusement toutes les recommandations du présent volume.

Toutes les bactéries ont besoin d'eau pour se développer. Cependant, l'eau utilisée pour dissoudre de grandes quantités de sucre ou de sel n'est habituellement pas propice aux bactéries. En réalité, la présence de sucre ou de sel peut provoquer l'extraction des cellules bactériennes qui vivent dans l'eau. Les confitures et les gelées ne permettent pas, normalement, la croissance des bactéries.

La plupart des bactéries préfèrent un milieu à peu près neutre, ni acide ni alcalin. Quelques-unes préfèrent un milieu légèrement acide, tandis que d'autres le préfèrent légèrement alcalin.

Les nombreuses variétés de bactéries diffèrent entre elles, selon le degré de température à laquelle elles croissent. Quelques-unes se développent à la température du réfrigérateur, mais la majorité préfèrent des températures variant entre 68 et 113F (20 et 45C). La température la plus favorable au développement des bactéries thermophiles varie entre 95 et 180F (35 et 82C). Elles forment des spores très résistentes à la chaleur. Si elles ne sont pas détruites, plusieurs d'entre elles font surir les aliments en conserve, tandis que d'autres produisent des gaz. Les aliments en conserve stérilisés doivent être refroidis rapidement si l'on veut éviter le développement de ces bactéries.

Certaines bactéries, nous le répétons, sont extrêmement résistantes à la chaleur. Confinées dans des conditions non favorables à leur développement, elles forment des spores, très difficiles à détruire, et qui demeurent inactives jusqu'à ce que de meilleures conditions de développement se présentent. *Clostridium botulinum* est une de ces bactéries. Les spores qu'elle produit résistent au traitement de l'eau bouillante (212F, 100C), même durant plusieurs heures. Par conséquent, il faut des températures bien au-dessus du point d'ébullition pour les éliminer. L'usage du stérilisateur à vapeur sous pression est donc nécessaire pour en assurer la destruction totale. Si cette bactérie n'est pas détruite, elle produira une toxine, ou poison mortel, même en très petite quantité et difficilement décelable dans l'apparence, la senteur ou le goût des aliments. *Clostridium botulinum* est plus active dans les légumes à faible teneur d'acide, dans la viande, la volaille et le poisson. Par conséquent, tous ces aliments doivent être traités dans un stérilisateur à vapeur sous pression durant une période de temps scientifiquement déterminée à 240F (155C). (10 livres de pression au niveau de la mer.)

Les aliments à faible teneur d'acide n'entraîneront aucun empoisonnement par le botulisme s'ils sont soigneusement préparés et stérilisés durant la période de temps voulu et dans un stérilisateur à vapeur sous pression efficace, muni d'un indicateur de pression bien calibré. Toutefois, si cet organisme n'a pas été détruit, il produira éventuellement une toxine, substance mortelle, qui peut être éliminée par l'ébulition de l'aliment, durant 10 minutes. Il est donc recommandé que tous les aliments faibles en acide et mis en conserve, tels que les fruits de mer, la volaille, la viande et tous les légumes, à l'exception des tomates, soient bouillis durant 10 minutes, avant que l'on y goûte ou avant de les servir. Bien que cette précaution soit prise comme mesure de sécurité supplémentaire, elle ne doit pas constituer une excuse pour ignorer les recommandations de ce livre ou pour adopter des méthodes inadéquates de mise en conserve.

Les bactéries diffèrent dans leurs besoins d'oxygène. Pour les bactéries aérobies, l'oxygène est essentiel à leur développement. Les anaérobies par contre croissent plus facilement dans un environnement privé d'air. *Clostridium* 17 *botulinum* est une de ces dernières. Si ses spores ne sont pas complètement détruites durant la stérilistion, elles se développent et produisent un poison à l'intérieur de bocaux même hermétiquement scellés.

La concentration du sel ou du sucre paralyse ou prévient la croissance bactérielle. Ces ingrédients, utilisés dans la conservation, viennent compléter ou rehausser le goût des aliments : le sucre rehausse le goût des fruits et des confitures, et le sel, celui des légumes.

Dans un milieu moyennement acide, plusieurs bactéries, y compris celles qui forment des spores, sont impuissantes à se développer. La présence de l'acide durant la stérilisation permet donc une destruction plus facile de certaines bactéries. Elles demeurent rarement actives dans les fruits naturellement acides, dans les aliments auxquels on a ajouté du vinaigre, ou dans les saumures et la choucroute, dont l'acidité résulte de la fermentation. Les bactéries sont plus tenaces dans les fruits peu acides, les légumes, la viande, la volaille et les fruits de mer. Par conséquent, tous ces aliments doivent être stérilisés dans un stérilisateur à vapeur sous pression, à 240F (155C), durant une période de temps appropriée. La destruction des bactéries, des moisissures et des levures dans les aliments très acides nécessite généralement de basses températures et des périodes très courtes de stérilisation, contrairement aux aliments peu acides.

Avant l'apparition sur le marché du stérilisateur à vapeur sous pression, tout le procédé de stérilisation se faisait à 212F (100C). Cela comportait des risques. Il y avait toujours la possibilité que les aliments faibles en acide contiennent encore des spores dangereuses que la chaleur n'avait pu éliminer.

Additifs chimiques

Les additifs chimiques ne devraient pas être utilisés dans la mise en conserve, à la maison, des fruits et des légumes. Tout ce qui est requis pour procéder sans danger,
18 ce sont des bocaux hermétiques et une méthode appro-

priée. Les composés de soufre, d'acide borique, d'acide salicyclique et la saccharine ne sont pas autorisés dans les conserves commerciales parce qu'ils peuvent se révéler nocifs.

Galerie des vilains dans la mise en conserve

Individu : Enzymes
Refuge : Fruits et légumes
Préférences : Fruits et légumes qu'on laisse s'oxygéner
Délit : Noircissement des fruits et des légumes
Moyen de contrôle : Soumettre à une température de 140F (60C) ou plus

Individu : Moisissures
Refuge : L'air
Préférences : Confitures, gelées, fruits et légumes
Délit : Formation d'une mousse sur les confitures, gelées, marmelades de fruits, fruits et légumes avariés
Moyen de contrôle: Soumettre à une température de 212F (100C) (ébullition)

Individu : Levures
Refuge : L'air
Préférences : Jus, jambon, gelées, marmelades de fruits, saumures et fruits non réfrigérés
Délit : Fermentation, formation d'une pellicule sur la saumure
Moyen de contrôle : Soumettre à une température de 212F (100C) (ébullition)

Individu : Bactéries végétatives
Refuge : Dans l'air, sur les mains, dans la poussière, la saleté et sur les ustensiles
Préférences : Aliments faibles en acide, températures au-dessus de la température normale de réfrigération (40F) (4.5C) et en dessous de celle de la pasteurisation (140F) (160C)
Délit : Ramollissent les aliments et les rendent visqueux
Moyen de contrôle : Soumettre à une température de 212F (100C) (ébullition)

Individu : Bactéries thermophiles
Refuge : Dans l'air, sur les mains, dans la poussière, la saleté et sur les ustensiles
Préférences : Aliments faibles en acide, à la température de 100 à 180F (38 à 82C)
Délit : Causent le « suri »
Moyen de contrôle : Refroidir rapidement les aliments stérilisés, ne pas les laisser à des températures de 100 à 180F (38 à 82C) durant une période prolongée

Individu : Bactéries formant des spores
Refuge : Dans l'air, sur les mains, dans la poussière, la saleté et sur les ustensiles
Préférences : Aliments faibles en acide, insuffisamment stérilisés dans des bocaux scellés
Délit : Produisent une toxine mortelle

Moyen de contrôle : Soumettre à une température de 240F (115C) le temps indiqué dans la recette

Individu : Toxines
Refuge : Dérivées de la bactérie *Clostridium botulinum*
Préférences : Aliments faibles en acide, insuffisamment stérilisés et conservés dans des contenants anaérobies
Délit : Poison mortel
Moyen de contrôle : Les détruire en faisant bouillir les aliments durant 10 minutes avant de les servir

Planification et organisation

Le succès dans la mise en conserve des fruits et des légumes repose sur une bonne organisation et une bonne planification. Les conseils suivants vous garantiront une réussite à tout coup.

Plusieurs semaines à l'avance, planifiez la récolte des fruits et des légumes à venir. Si nécessaire, demandez au gérant de votre magasin local à quel moment il doit recevoir ses approvisionnements, afin que vous puissiez acheter fruits et légumes alors qu'ils sont à leur meilleur, et aux plus bas prix.

En vous servant du guide de planification alimentaire de la page 6, évaluez les besoins alimentaires de votre famille, afin de mettre en conserve une variété d'aliments en quantités suffisantes.

Calculez le nombre et vérifiez la grandeur des bocaux dont vous aurez besoin, ainsi que des couvercles et rondelles de caoutchouc requis. La mise en conserve étant devenue très populaire, il serait sage d'acheter le plus tôt possible tout ce dont vous aurez besoin, afin d'éviter tout désappointement.

Prévoyez un coin de rangement adéquat. Les bocaux de conserve devront être remisés dans un endroit frais, obscur et sec. Évitez les endroits comportant des risques de gel ; cela pourrait causer le bris de quelques bocaux ou altérer la texture de certains aliments. Par contre, une chaleur trop soutenue peut altérer la saveur des aliments, et la lumière peut en modifier la couleur. Les bocaux devront être enveloppés dans du papier ou placés dans des boîtes afin de les préserver de la lumière. Une précaution supplémentaire : prévoir un endroit inaccessible aux jeunes enfants, aux maris affamés et aux animaux domestiques.

Vérifiez votre outillage en le comparant avec celui dont il est fait mention dans les pages 30 à 40. Projetez d'acheter ou, peut-être, d'emprunter tout ce qui est nécessaire.

Pour plus de précision, ayez à portée de la main la table de pression relative à votre stérilisateur à vapeur sous pression, fournie par le fabricant.

Familiarisez-vous, si vous ne l'êtes pas déjà, avec le fonctionnement de votre stérilisateur à vapeur sous pression.

Le choix des fruits et des légumes

Les fruits ont une meilleure saveur lorsqu'ils sont complètement mûrs. Les légumes sont plus délectables lorsqu'ils sont jeunes et tendres. Surveillez soigneusement la qualité des produits et faites vos conserves lorsqu'ils ont atteint leur plus haut degré d'excellence.

Triez les fruits bien mûrs, et mettez-les immédiatement en conserve. Ceux qui n'ont pas encore atteint leur pleine maturité seront étalés dans un endroit approprié où ils pourront mûrir. Les fruits meurtris ou taché devront être écartés. Cependant, après en avoir éliminé les meurtrissures ou les taches, les parties intactes de ces fruits peuvent être utilisées pour les confitures ou les jus de fruits.

Conseils sur la mise en conserve

Souvenez-vous que la mise en conserve ne devra jamais se faire avec de trop fortes quantités de fruits et de légumes. N'en préparez que raisonnablement à la fois. Avant de commencer, ayez à portée de la main tout ce dont vous avez besoin, afin de consacrer tout votre temps aux soins que requiert une mise en conserve réussie.

Accordez tout votre temps à la mise en conserve, et laissez votre routine quotidienne à l'arrière-plan. Ce serait une excellente occasion de faire appel à tous les membres de la famille pour leur confier le travail régulier de la maison, afin de faciliter votre tâche et obtenir ainsi des résultats plus satisfaisants.

N'essayez pas de tout faire dans la même journée. Votre premier essai vous donnera une bonne idée de la somme de travail que vous pouvez fournir sans vous fatiguer. Un travail qui devient une corvée peut entraîner des erreurs dont les conséquences seraient regrettables.

Avant de commencer votre travail de mise en conserve, enlevez de votre cuisine toutes choses superflues et susceptibles de vous nuire. Choisissez un endroit où vous pourrez travailler assise le plus longtemps possible durant la préparation des fruits et des légumes. Il faut savoir ménager ses énergies.

N'utilisez que des recettes sûres et à la page, et suivez-les à la lettre. Lisez-les entièrement avant de commencer toute préparation, car vous vous apercevrez qu'il arrive parfois, comme dans le cas des marinades, que les légumes ou les fruits doivent être salés ou marinés plusieurs heures avant de procéder à la mise en conserve proprement dite.

Ne travaillez pas à l'aveuglette. Mesurez ou pesez avec précision les fruits et le sucre. Si les fruits vous tentent, n'en mangez pas parmi ceux déjà mesurés.

Lisez attentivement les instructions du fabricant concernant l'emploi des couvercles et sceaux hermétiques des bocaux. Ne supposez pas que tous les couvercles sont identiques et s'ajustent de la même manière. Négliger de suivre exactement la méthode appropriée peut entraîner une fermeture hermétique imparfaite.

Comptez le nombre de bocaux que vous utiliserez dans votre journée de mise en conserve. Assurez-vous que chaque bocal et chaque couvercle ont été bien lavés à l'eau chaude savonneuse et rincés parfaitement, au moins deux fois, dans l'eau très claire. Renversez les bocaux sur une serviette propre et laissez-les ainsi jusqu'au moment de les utiliser.

La propreté est primordiale dans la préparation de tous les aliments et il est absolument nécessaire que la mise en conserve se fasse dans des conditions strictement sanitaires. Que tout votre outillage et votre endroit de travail soient impeccables.

Les personnes ayant des coupures aux mains, des plaies, ou souffrant de rhume ne devraient pas aider à la mise en conserve. Leur présence peut présenter un danger de contamination pour les aliments, et il en résultera peut-être un empoisonnement alimentaire. Si vous ne vous sentez pas bien, remettez la mise en conserve à un autre jour.

Conservation de la vitamine dans la mise en conserve à la maison

De plus en plus de gens sont conscients des aliments qu'ils mangent et de l'importance d'une bonne alimentation. Les maîtresses de maison qui investissent du temps, de l'argent et des efforts dans la mise en conserve désirent s'assurer que les procédés qu'elles utilisent éloignent tout danger de contamination, et gardent aux aliments toute leur valeur nutritive. Généralement, il existe une petite différence entre la teneur en vitamines des aliments mis en conserve à la maison et celle contenue dans les aliments frais, soigneusement préparés et cuits pour une consommation immédiate.

Les vitamines sont détruites ou perdues pour une foule de raisons. Certaines sont solubles dans l'eau, tandis que d'autres le sont dans le gras ; quelques-unes sont plus stables dans l'acide, et d'autres le sont davantage en milieu moyennement alcalin. Certaines sont détruites par l'oxygène, d'autres par la chaleur.

Parce que plusieurs vitamines et minéraux sont solubles dans l'eau, le liquide des fruits et des légumes en conserve contient des quantités importantes de ces vitamines et minéraux. Lorsque nous servons des fruits, leur jus est également consommé, et ainsi les vitamines et minéraux qu'ils contiennent ne sont pas perdus. Le liquide des légumes en conserve, riche en vitamines et en minéraux, peut être mis de côté et utilisé dans les soupes, les sauces, les jus, etc. Il peut aussi être congelé et utilisé plus tard.

Évaluation des quantités

La plupart des recettes de conserve sont précises, mais quelques-unes peuvent présenter des problèmes. Quelle quantité de fruits faut-il acheter pour obtenir six tasses de chair d'abricots ou quatre tasses de jus de baies ? La principale difficulté est de connaître les équivalences exactes. Par exemple, combien de tomates entières sont nécessaires pour en obtenir six tasses lorsqu'elles sont coupées en dés, ou combien de livres équivalent à une pinte ? Cela dépend toujours de la grosseur des tomates. Le tableau suivant peut vous orienter dans vos achats, sans qu'il ait la prétention de vous fournir des informations d'une rigoureuse exactitude.

Produits	Livres requises pour remplir un bocal d'une pinte (tels que cueillis)	Capacité du contenant	Poids approximatif en livres, d'un contenant	Mesure équivalente (par livre)
Pommes	2½-3	caisse ou carton	40-45	4 petites pommes ou 3 moyennes ; 3 tasses tranchées
Compote de pommes	2½-3½			
Abricots	2½-3	plateau	24-26	8-14 abricots ; 2 tasses, coupés en deux
Baies	1½-3	caissette (12 boîtes de 1 pinte)	11-12	1½-3¼ tasses
Cerises	2-2½	plateau Camp Campbell plateau Calex	15 18-20	3 tasses, avec noyaux ; 2 tasses, dénoyautées
Pêches	2-3	Caisse à pêches Western plateau, cageot ou carton armé	16-18 19-22 38	4 pêches moyennes ; 1½ tasse, tranchées
Poires	2-3	plateau, carton rempli serré, caisse ou carton	21-26 36	3 poires moyennes, 1⅔ tasse, tranchées
Prunes	1½-2½	plateau, cageot ou carton de 4 paniers, carton rempli serré	18-22 24-32	8 prunes moyennes ; 2 tasses, coupées en deux
Rhubarbe	3	carton carton	5 15-20	4-8 tiges ; 3 tasses, tranchées ; 1 tasse, cuites
Asperges	3-3½	demi-cageot ou carton cageot « pyramide »	14-15 30-32	16-20 pointes

Produits	Livres requises pour remplir un bocal d'une pinte (tels que cueillis)	Capacité du contenant	Poids approximatif en livres, d'un contenant	Mesure équivalente (par livre)
Haricots verts ou jaunes	1½	panier d'un boisseau, manne, cageot ou carton	28-30	3 tasses
Fèves de Lima	3-5 (2 écossées)	panier d'un boisseau ou manne	30	3 tasses, écossées
Betteraves	2½-3 (avec fanes)	sac (avec fanes) sac (avec fanes)	25 50	2 tasses, cuites, tranchées
Carottes	2-3 (avec fanes)	carton (en bottes) caisse de sacs d'une livre	23-27 48	8 petites carottes ; 4 tasses, hachées
Maïs	3-6	cageot armé	50	1 épi ; (4 épis = 1 tasse, coupé)
Concombres	(4 gros)	panier d'un boisseau, cageot ou carton	47-55	(1 petit = 1 tase, tranché)
Légumes verts betteraves, épinards, etc.	2	cageot de 16'' ou 1 1/9 cageot d'un boisseau, 1 2/5 ou 1 3/5	20-25 30-35	8 tasses, frais 2 tasses, cuits
Pois verts	4-6 (2 égoussés)	panier d'un boisseau, 1 1/9 cageot d'un boisseau	28-30	1 tasse, égoussés, cuits
Citrouilles, courges d'hiver	1½-3	cageot d'un boisseau 1 1/9 cageot d'un boisseau ou carton	40-45	
Tomates	2½-3½	plateau carton	20 30	3-4 tomates moyennes ; 3 tasses, tranchées ou en dés

2. Méthodes de mise en conserve et outillage

Méthodes de mise en conserve

Marmite ouverte

Dans une marmite à conserve ouverte, les aliments sont cuits puis déposés, encore bouillants, dans des bocaux chauds et stérilisés. Chaque bocal est scellé immédiatement après avoir été rempli. Cette méthode de cuisson convient seulement aux aliments dont les enzymes et les micro-organismes sont facilement détruits. Elle est donc recommandée particulièrement pour les confitures, les gelées, les conserves, les marmelades, les relish et quelques marinades.

Remplissage à froid ou cru

Dans la méthode de remplissage à froid ou cru, les bocaux propres et chauds sont remplis avec des fruits préparés et non cuits. L'eau chaude, le sirop chaud ou, dans le cas des tomates, le jus de tomate chaud est ajouté en quantité suffisante pour couvrir entièrement les fruits. Les bocaux sont scellés et stérilisés selon les exigences de la recette. Cette méthode est recommandée seulement pour les fruits et les tomates.

Remplissage à chaud

Tous les légumes peuvent être mis dans des bocaux de cette manière. Ils sont partiellement cuits dans une marmite couverte, durant un court temps, puis déposés dans des bocaux propres et chauds et recouverts avec le liquide de cuisson encore bouillant, ou avec de l'eau fraîchement bouillie. Les bocaux sont ensuite scellés et stérilisés selon les données de la recette. Cette méthode peut aussi être utilisée pour les jus de fruits, la plupart des fruits et les tomates. Elle facilite la destruction des enzymes et des micro-organismes dans les aliments, à une température de 212 F (100C) avant le remplissage des bocaux. La précuisson réduit au minimum l'air dans les bocaux et restreint le volume des aliments, facilitant ainsi la mise en bocaux. Elle diminue également le temps de stérilisation.

Stérilisation

La stérilisation consiste à soumettre les bocaux remplis d'aliments à une température telle qu'elle assurera la destruction de tous les enzymes et micro-organismes, ce qui permettra de conserver ces aliments pour consommation subséquente sans danger. Les aliments doivent être soumis à la stérilisation suffisamment longtemps pour que chaque parcelle soit amenée à la température voulue pour une destruction complète des organismes de corruption. D'autre part, ils ne devront pas être exposés à de hautes températures plus longtemps que la recette ne l'exige, sinon ils seront trop cuits.

Il y a deux méthodes de stérilisation : la stérilisation par bain d'eau bouillante et la stérilisation par cuiseur à vapeur sous pression.

Stérilisation par bain d'eau bouillante

Le bain d'eau bouillante stérilise les aliments à une température de 212F (100C) et, par conséquent, il est recommandé seulement pour les fruits, les confitures, les marmelades, les marinades, les relish et les tomates. Les aliments faiblement acidulés, tels les légumes, la viande, la volaille et les fruits de mer ne doivent jamais être stérilisés par bain d'eau bouillante, car les spores de la bactérie *Clostridium botulinum* ne sont pas détruites à 212F (100C).

Lorsque les bocaux sont placés dans le stérilisateur, l'eau doit être chaude, mais non bouillante, car ils pourraient se briser. On ajoutera un peu d'eau bouillante, si nécessaire, afin de recouvrir les bocaux de un ou deux pouces d'eau. Le stérilisateur est ensuite couvert et l'eau amenée, aussi rapidement que possible, à une vigoureuse ébullition. Le temps de stérilisation débute lorsque l'eau commence à bouillir. Celle-ci doit être maintenue à une ébullition cons- 29 tante, mais non assez forte pour agiter les bocaux. Aussitôt le temps de stérilisation terminé, les bocaux sont immédiatement retirés du stérilisateur.

(La description du stérilisateur à bain d'eau bouillante est donnée au paragraphe Outillage, page 31.)

Stérilisation par vapeur sous pression

Le stérilisateur à vapeur sous pression est spécialement désigné pour cuire les aliments à de très hautes températures, durant une courte période de temps. Durant cette stérilisation, la haute température (240F, 115C) tue les bactéries qui résistent à celle de 212F (100C). Cette méthode de stérilisation est la seule recommandée pour les aliments faibles en acide, tels que les légumes, la viande, la volaille et les fruits de mer.

(La description du stérilisateur à vapeur sous pression est donnée au paragraphe Outillage, page 31.)

Outillage

La plus grande partie de l'outillage essentiel à la mise en conserve chez soi se trouve dans toute cuisine. Avant de commencer à travailler, il est important d'en faire l'inventaire afin de s'assurer de son bon état de fonctionnement. Vous trouverez, dans les pages suivantes, des suggestions concernant cet outillage. Certains ustensiles sont indispensables, mais tous sont utiles au succès de la mise en conserve. Afin de vous familiariser avec les pièces les plus complexes, nous ne croyons pas qu'une description détaillée, avec illustrations, soit superflue.

Stérilisateur à bain d'eau

Un stérilisateur à bain d'eau ou à bain d'eau bouillante est, en réalité, une grande marmite, un seau ou tout autre récipient dans lequel l'eau peut bouillir. Il doit être assez profond pour permettre de recouvrir de deux pouces d'eau même les bocaux les plus grands, et voir à ce que cette eau puisse bouillir vigoureusement sans déborder. (Si l'eau ne recouvre pas les bocaux d'au moins deux pouces, les aliments cuiront inégalement.) Ce stérilisateur sera muni d'un

30

couvercle hermétique afin d'éviter la perte de l'eau par évaporation. On placera une claie ou un panier en métal dans le
fond du récipient afin de permettre une libre circulation de
l'eau autour et au-dessous des bocaux. Ce genre de stérilisateur convient pour la stérilisation des fruits et des
tomates, ou des bocaux remplis de gelées, de marmelades,
de marinades et de relish.

Stérilisateur à vapeur sous pression

Un stérilisateur à vapeur sous pression, essentiel pour
une bonne stérilisation des légumes et autres aliments faiblement acidulés, est cette grande marmite en métal fermée
par un couvercle à joint étanche. Ce couvercle est muni
d'une valve de sécurité automatique, d'une soupape de
pression à clapet facilitant l'expulsion de l'air du stérilisateur
lorsque le couvercle est verrouillé, et d'un cadran à pression.
Ce dernier devra être vérifié soigneusement chaque année
afin de s'assurer de sa précision, car une stérilisation ne par-
venant pas à détruire complètement les spores de la bactérie *Clostridium botulinum* pourrait résulter d'une mauvaise
lecture de pression.

Les cuiseurs à vapeur sous pression se présentent en
grandeurs et modèles différents. Plusieurs ménagères en
possèdent un petit pour la préparation rapide des repas fa-
miliaux. Si le vôtre peut être utilisé à 240F (115C), (10 livres
de pression au niveau de la mer), il peut servir de stérilisateur pour les conserves d'aliments faiblement acidulés.
Toutefois, certains cuiseurs à pression étant trop petits pour
contenir même les bocaux d'une chopine, assurez-vous que
le vôtre conviendra aux bocaux que vous désirez utiliser. Si   31

vous désirez acheter un cuiseur à pression, choisissez un modèle muni d'un couvercle en forme de dôme, spécialement destiné à la ménagère qui aimerait l'utiliser pour la mise en conserve et la préparation régulière des repas. Il existe également des cuiseurs à vapeur sous pression plus grands et plus coûteux. Ils sont de différents types : à pression, à vapeur et pression, ou à vapeur rapide. Avant d'en faire l'acquisition, déterminez la grandeur des bocaux que vous utiliserez pour vos conserves et choisissez celui qui répondra le mieux à vos besoins. L'achat d'un tel cuiseur peut être un investissement coûteux. Si certains de vos amis ou de vos voisins sont intéressés à la mise en conserve, pourquoi alors ne pas effectuer cet achat conjointement ?

Les différents fabricants de cuiseurs à vapeur sous pression mettent en vente des couvercles offrant des caractéristiques variées pour l'indication et le contrôle de la pression, ainsi que pour les mesures de sécurité à prendre. Il est important que vous lisiez attentivement les instructions du fabricant concernant l'emploi et le soin à donner à votre cuiseur à pression et que vous les compreniez parfaitement. Si vous n'avez jamais utilisé auparavant de cuiseur à vapeur sous pression servez-vous-en pour préparer deux ou trois repas pour votre famille, afin de familiariser avec cette marmite.

Parties composantes d'un stérilisateur à vapeur sous pression

Les modèles d'une capacité de huit et seize pintes possèdent des poignées de chaque côté du couvercle et de la casserole, contrairement aux modèles de quatre et six pintes qui, eux, ont des manches.

Contrôle automatique de la pression

C'est un instrument de précision incassable, tout d'une pièce, pour une cuisson à couvert. Vous l'entendez contrôler automatiquement la pression choisie : 5, 10 ou 15 livres. Il n'a ni ressorts, ni trucs susceptibles d'entraîner un mauvais fonctionnement de ce genre de contrôle. Il n'a donc jamais besoin de calibrage ou de test de précision. Conservez-le toujours très propre en le lavant dans de l'eau chaude savonneuse et en le rinçant parfaitement.

Si votre cuiseur à vapeur sous pression est muni d'un cadran à pression plutôt que d'un contrôle automatique de la pression, voyez à ce qu'il soit vérifié chaque année, pour vous en assurer la précision.

Tuyau d'échappement

La pesée du contrôle est placée sur le tuyau d'échappement. Il est important que ce tuyau soit toujours propre et dégagé de toutes particules d'aliments. Pour le nettoyer, il suffit d'y introduire délicatement une tige de fil de fer.

Évent automatique de sécurité

Cette soupape de sécurité se déclenchera automatiquement si le tuyau d'échappement est bouché ou si la vapeur du cuiseur est épuisée.

33

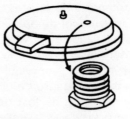

Joint auto-étanche en forme de V

Ce joint scelle automatiquement le couvercle lorsque le cuiseur est fermé selon les instructions du fabricant, et s'élève pour opérer la pression. Il s'enlève pour un nettoyage plus facile.

Joint

Enlevez le joint pour le nettoyer plus facilement, et remplacez-le lorsqu'il est usé.

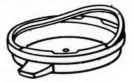

Trépied de cuisson

Utilisez le trépied lorsque la recette l'exige.

Panier

Le panier sert à retenir les bocaux durant la stérilisation.

Outillage divers

Bocaux à conserve
Couvercles en métal et bande de vissage
Grille ou claie pour le refroidissement des bocaux stérilisés
Lève-bocal
Pinces
Entonnoir à large col
Paraffine, pour sceller les verres à gelée
Bain-marie, pour fondre la paraffine
Alcool de grain, pour le test de pectine
Bouilloire
Sac à gelée ou coton-fromage (pour faire la gelée)
Mélangeur
Marmite — une grande marmite est nécessaire pour la cuisson des confitures, des gelées, des marinades et des relish. N'utilisez pas de marmite en cuivre, étain ou acier galvanisé, ou des marmites émaillées écorchées, pour faire les marinades.
Grande casserole, utilisée pour le blanchiment des fruits et des légumes.
Coton-fromage
Thermomètre à bonbons
Balance de cuisine, utilisée pour plus de précision
Chronométreur
Étiquettes
Hache-viande à manivelle ou électrique

35

Hachoir
Tamis
Passoire ou panier à légumes en fil de fer, pour laver
les fruits et les légumes
Brosses à légumes
Grande planche de bois pour hacher les fruits et les
légumes
Grands couteaux tranchants
Couteau à peler
2 ou 3 grands bols en verre, en plastique ou en acier
inoxydable
Tasses à mesurer les liquides
Tasses à mesurer les ingrédients secs
Cuillères à mesurer
Écumoires
Cuillères en bois
Louches
Spatules en caoutchouc
Serviettes propres
Serviettes de papier
Plateaux

Bocaux à conserves

Le succès de la conservation des aliments nécessite
deux conditions essentielles. La première consiste en une
stérilisation suffisante, à la bonne température, afin de détruire tous les agents de corruption. La seconde est l'uti-
lisation de produits de qualité, de bocaux à conserves adé-
quats munis de couvercles hermétiques afin de prévenir
l'action des agents de corruption dans les bocaux après la
stérilisation.

Considérant l'argent investi dans la conservation des
aliments, le prix élevé de ces derniers et de l'outillage, le
temps et les efforts consacrés à cette tâche, il est évident
qu'il ne faut pas prendre le risque de subir des pertes en utilisant des bocaux qui ne sont pas spécialement recom-
mandés pour la mise en conserve des aliments à la maison.

Des bocaux avec couvercles et système de fermeture

autres que ceux décrits dans ce livre sont aussi disponibles sur le marché. Mais avant de les acheter, soyez certaine que le mode d'emploi, expliquant la manière de les sceller correctement, est inclus. Si les couvercles et les rondelles de caoutchouc doivent être utilisés seulement une fois, assurez-vous de la possibilité de les acheter séparément.

Genres de bocaux à conserves

Les bocaux à conserves existent sous plusieurs formes et grandeurs et ils peuvent être scellés de différentes manières.

Verres à gelée

1. Verres à gelée avec couvercle protecteur en métal. Capacité : 7.5 onces liquides (environ 1 tasse). Ce couvercle est seulement un couvercle protecteur. Il ne peut être utilisé pour la conservation d'aliments exigeant un sceau hermétique.

Bocaux Mason

2. Petit (chopine) à ouverture étroite. Capacité : 16.5 onces liquides (environ 2 tasses).
3. Moyen (pinte) à ouverture étroite. Capacité : 32 onces liquides (environ 4 tasses).
4. Grand (demi-gallon) à ouverture étroite. Capacité : 60.4 onces liquides (environ 7½ tasses).

Les bocaux Mason petits, moyens et grands sont scellés au moyen d'un couvercle plat en métal et une bande de vissage en métal, ou avec un couvercle de métal d'une seule pièce. Le bocal est scellé à vide. Une même grandeur de couvercle et de bande de vissage convient aux trois grandeurs de bocaux.

1   2   3   4

Bocaux Gem

5. Petit (chopine). Capacité : 16.5 onces liquides (environ 2 tasses).

6. Moyen (pinte). Capacité : 32 onces liquides (environ 4 tasses).

7. Grand (demi-gallon). Capacité : 60.4 onces liquides (environ 7½ tasses).

Les bocaux Gem petits, moyens et grands sont scellés avec un couvercle plat en métal et une bande de vissage en métal, ou un couvercle de verre et une bande de vissage en métal, ou un couvercle en métal d'une seule pièce. Ces bocaux sont scellés à vide. Une même grandeur de couvercle et de bande de vissage convient aux trois grandeurs de bocaux.

5   6   7

Bocaux Mason à large ouverture

8. Petit (chopine). Capacité : 16.5 onces liquides (environ 2 tasses).

9. Moyen (pinte). Capacité : 32.5 onces liquides (environ 4 tasses).

Les bocaux Mason petits et moyens, à large ouverture, sont scellés avec un couvercle de métal et une bande de vissage ; avec un couvercle en verre et une bande de vissage en métal ; ou avec un couvercle d'une seule pièce. Ces bocaux sont scellés à vide. Une même grandeur de couvercles et de bandes de vissage convient aux deux grandeurs de bocaux.

Ces bocaux sont aussi identifiés par la grandeur chopine, pinte et demi-gallon. Mesure américaine : 2 tasses égalent 1 chopine.

8   9

Fermetures

Couvercles plats en métal (utilisés avec une bande de vissage en métal)

Ces couvercles populaires peuvent être utilisés avec les différents bocaux Mason et Gem. Bien qu'ils soient disponibles dans plus d'une grandeur — une pour les bocaux Mason et Gem petits, moyens et grands, et une autre pour les bocaux Mason petits et moyens, à large ouverture — ils sont toujours du même modèle. Le bord du couvercle est enduit d'un composé de caoutchouc. Les couvercles sont scellés à vide.

Au moment de l'achat, il est fréquent de voir ces couvercles placés sur les bocaux, le côté émaillé tourné vers l'intérieur. Cette précaution est prise par le fabricant, afin de préserver le composé de caoutchouc. Toutefois, lorsque vous scellez un bocal rempli d'aliments, assurez-vous de placer le côté émaillé du couvercle vers l'extérieur, de manière à ce que le caoutchouc repose sur le bord du bocal.

Les couvercles ne sont pas réutilisables. Par contre, les bandes en métal de vissage, encore en parfait état, peuvent être réutilisées.

Couvercles de métal d'une seule pièce

Cette combinaison du couvercle de métal et de la bande de vissage permet donc la fermeture des bocaux Mason et Gem en une seule opération. Ces couvercles se scellent à vide.

Couvercles de verre
(utilisés avec une rondelle de caoutchouc et une bande de vissage en métal)
Ces couvercles sont disponibles dans les grandeurs appropriées aux bocaux Gem et Mason à large ouverture.

Couvercles de verre bombés
(utilisés avec une rondelle de caoutchouc et un bocal muni de pinces en métal)
Ces couvercles s'ajustent sur des bocaux munis de pinces en métal lesquelles se fixent sur le dessus du couvercle pour donner une fermeture hermétique.

Rondelles de caoutchouc
Les rondelles de caoutchouc sont disponibles dans différentes largeurs. Assurez-vous d'acheter celles qui conviennent à vos bocaux. Les boîtes de ces rondelles sont souvent identifiées par le nom même des bocaux auxquels elles sont destinées.

Comment sceller les bocaux
Les bocaux et fermetures décrits plus haut sont habituellement les plus utilisés. Si vous adoptez un genre différent, assurez-vous de bien suivre les recommandations du fabricant pour obtenir un scellage adéquat.

Bocaux avec couvercle plat en métal et bande de vissage en métal.
1. Remplissez le bocal. Essuyez soigneusement le bord.
2. Placez le couvercle sur le bocal, le composé de caoutchouc touchant le verre.
3. Vissez la bande de métal avec les mains. N'utilisez pas de pinces.
4. Après la stérilisation, ne resserrez pas le couvercle, car le bocal se scelle par lui-même à vide.

Bocaux avec couvercle de verre et bande de vissage en métal
40 1. Remplissez le bocal. Essuyez soigneusement le bord.

2. Ajustez la rondelle de caoutchouc humide sur le couvercle de verre.

3. Placez le couvercle sur le bocal, le caoutchouc vers le bas.

4. Vissez la bande de métal presque complètement, puis revenez d'à peu près un quart de tour. Soyez absolument certaine que le bocal et la bande se rencontrent.

5. Au fur et à mesure que les bocaux sont retirés du stérilisateur, resserrez complètement la bande de métal.

Bocaux avec couvercle de verre bombé, rondelle de caoutchouc et pinces de métal

1. Ajustez la rondelle de caoutchouc sur le bord du bocal.

2. Remplissez le bocal. Essuyez bien le bord et la rondelle de caoutchouc.

3. Placez le couvercle dans les rainures du bocal. Relevez la pince la plus longue sur le couvercle, mais ne rabattez pas la plus courte.

4. Après la stérilisation, dès la sortie des bocaux du stérilisateur, rabattez la pince la plus courte pour compléter le scellage.

Comment stériliser les bocaux

Les bocaux à remplir d'aliments qui ne subiront pas la stérilisation par bain d'eau bouillante ou par stérilisateur à vapeur sous pression, tels que marinades, relish, confitures, gelées, doivent également être stérilisés.

1. Remplissez aux deux tiers une grande marmite d'eau. Couvrez et faites chauffer. Un panier en fil de fer ou une claie sera nécessaire pour empêcher les bocaux de toucher le fond et les côtés de la marmite.

2. Du bout des doigts, vérifiez le contour de tous les bocaux, afin de déceler toute écorchure et ébréchure qui donnerait un scellage imparfait et entraînerait la corruption des aliments.

3. Les bocaux et les couvercles seront lavés à l'eau chaude savonneuse, et bien rincés à l'eau claire. N'utilisez pas de 41

poudre nettoyante, de brosses rugueuses ou de tampons récurants pour laver les bocaux. Ils peuvent endommager le verre.

4. Rincez parfaitement les bocaux et les couvercles.
5. Stérilisez les bocaux en les plaçant, à l'endroit, dans un bain d'eau. Tenez chaque bocal avec une pince jusqu'à ce qu'il soit rempli d'eau suffisamment pour se tenir à la verticale. Quand les bocaux sont en position, ajoutez de l'eau suffisamment pour qu'ils soient recouverts de un ou deux pouces d'eau. Couvrez le stérilisateur, amenez l'eau à ébullition et laissez bouillir durant vingt minutes.
6. Faites bouillir les couvercles durant 5 minutes.
7. Retirez les bocaux et les couvercles de l'eau bouillante, un à la fois, au fur et à mesure que vous en avez besoin pour les remplir et les sceller. Le fait de les retirer de l'eau bouillante et de les laisser exposés à l'air détruit le processus entier de la stérilisation.
8. Pour éviter le bris des bocaux lorsqu'ils sont retirés de l'eau bouillante, placez-les sur une surface sèche en bois ou sur plusieurs épaisseurs de papier absorbant.

NOTA : Tout l'outillage servant au remplissage des bocaux (entonnoir, louche, tasses à mesurer, couteaux) sera très propre et devra être stérilisé dans l'eau bouillante durant vingt minutes avant usage.

Lorsque les aliments doivent être stérilisés dans un bain d'eau bouillante ou dans un stérilisateur à vapeur sous pression, il n'est pas nécessaire de stériliser les bocaux et les couvercles. Suivez les points de 1 à 4, puis placez les bocaux dans l'eau bouillante jusqu'au moment du remplissage. Les micro-organismes qui peuvent causer la maladie ou la corruption des aliments seront détruits au moment de la stérilisation des bocaux remplis, selon les données de la recette.

Refroidissement des bocaux scellés

1. Après la stérilisation, retirez les bocaux du stérilisateur et placez-les debout, sur une claie, une planche de bois ou plusieurs épaisseurs de papier absorbant ou de linge

42

sec. Ne les retournez pas, cela pourrait briser le scellage. Évitez-leur les courants d'air, ils pourraient éclater.

2. Si durant le refroidissement des bocaux scellés avec des couvercles de métal et des bandes de vissage, ou avec des couvercles de métal d'une seule pièce, vous entendez un petit bruit sec, ne vous inquiétez pas. Cela indique qu'un bon vide a été atteint et que le bocal est hermétiquement scellé.

3. Ne faites aucun ajustement aux couvercles après le refroidissement des bocaux. Par crainte de briser le scellage, ne retirez ou desserrez pas les bandes de vissage.

Comment vérifier l'herméticité

Bocaux scellés à vide : Après le refroidissement des bocaux remplis, vérifiez-en l'herméticité en pressant le centre du couvercle. S'il est légèrement entré vers l'intérieur et qu'il ne bouge pas, c'est que le bocal est bien scellé.

Autres genres de scellage : Après le refroidissement des bocaux remplis, vérifiez-en l'herméticité en renversant chaque bocal durant une minute ou deux, vous assurant ainsi qu'il n'y a pas de fuite de liquide.

N'ouvrez jamais un bocal après stérilisation. Parfois, en raison du rétrécissement des aliments ou à la perte de liquide durant la stérilisation, il peut se former un vide au sommet du bocal. Cet espace n'affectera pas la qualité des aliments. Mais si vous ouvrez le bocal pour y ajouter plus de liquide, vous en exposerez le contenu à la contamination par les organismes. Si le bocal n'est pas hermétique, réfrigérez les aliments et consommez-les le plus tôt possible. Le bocal peut être rescellé avec un nouveau couvercle et stérilisé à nouveau, le temps indiqué dans la recette, mais cela n'est pas recommandé, car les aliments seront trop cuits.

Si le produit contenu dans un bocal mal scellé peut supporter une nouvelle cuisson et ne demande pas de stérilisation (comme certaines marinades, relish), il peut être remis dans une casserole, amené à ébullition et remis dans un bocal propre, chaud et stérilisé. Puis il sera scellé avec un couvercle propre, chaud et également stérilisé.

Les marinades mises en bocaux alors qu'elles sont refroidies ne donneront pas un scellage à vide. Cependant, la haute teneur en acide de ces produits empêche habituellement leur corruption.

Le rangement des conserves
1. Essuyez chaque bocal avec un linge humide, en évitant de déplacer la bande de vissage.
2. Étiquetez et datez les bocaux.
3. Rangez-les dans un endroit frais, obscur et sec, et où la température se maintient entre 50 et 60F (10 et 15C). Le manque d'obscurité peut modifier la couleur des aliments remisés. Si l'endroit de rangement n'est pas suffisamment obscur, enveloppez les bocaux dans du papier ou placez-les dans des boîtes de carton fermées.
4. Après une semaine, vérifiez chaque bocal. Tout signe de fuite de liquide indique qu'il y a corruption et, aussi regrettable que cela puisse être, ces aliments devront être jetés.

Comment ouvrir les bocaux munis d'un couvercle de métal

1. Dévissez la bande de métal. Si elle adhère trop fortement, passez-la sous l'eau chaude jusqu'à ce qu'elle se desserre.
2. Perforez le couvercle avec un ouvre-boîtes. Le soulever en passant la lame d'un couteau en dessous peut endommager le bocal et vous blesser.
3. Jetez le couvercle, car il ne doit pas être réutilisé. Les bandes de vissage rouillées ou tordues devront aussi être jetées.
4. Dès qu'un bocal est vide, lavez-le, asséchez-le parfaitement et remisez-le dans une boîte ou un endroit propre, pour vos besoins futurs.

3. Fruits et légumes acides

Lorsque vous choisirez des fruits pour vos conserves, prenez ceux qui sont mûris à point. Ils devront être encore fermes, sans taches et ne présenter aucun signe de corruption.

Bien que l'acidité naturelle des fruits et de certains légumes empêche la croissance de bactéries nocives, des méthodes particulières de préparation et de stérilisation sont nécessaires pour détruire les levures et les moisissures présentes à la surface de ces produits et qui peuvent causer la fermentation et la croissance de ces moisissures. Un traitement par la chaleur doit neutraliser les enzymes qui existent naturellement dans les fruits et qui contribuent à leur mûrissement. Mais si leur action n'est pas arrêtée à temps, elles causent éventuellement la corruption de ces aliments. Les enzymes en présence de l'oxygène sont aussi responsables du changement de couleur dans les fruits. Ces derniers doivent être stérilisés si l'on veut détruire les organismes qu'ils contiennent. Pour éviter la recontamination, utilisez des bocaux hermétiques.

Les fruits peuvent être stérilisés sans danger dans un bain d'eau bouillante. Suivez les instructions sur la manière de remplir les bocaux (remplissage à froid ou à chaud) et stérilisez-les durant le temps précisé.

Altitudes et temps de stérilisation

Au niveau de la mer, l'eau bout à 212 F (100C). Autant l'altitude augmente, autant décroît la température à laquelle l'eau bout graduellement. Le tableau suivant indique le nombre de minutes à ajouter au temps de stérilisation exigé dans le procédé de stérilisation par l'eau bouillante.

	Augmentation du temps de stérilisation par bain d'eau bouillante, si le temps recommandé est :	
Altitude	20 minutes ou moins	plus de 20 minutes
1,000 pieds	1 minute	2 minutes
2,000 pieds	2 minutes	4 minutes
3,000 pieds	3 minutes	6 minutes
4,000 pieds	4 minutes	8 minutes
5,000 pieds	5 minutes	10 minutes
6,000 pieds	6 minutes	12 minutes
7,000 pieds	7 minutes	14 minutes
8,000 pieds	8 minutes	16 minutes
9,000 pieds	9 minutes	18 minutes
10,000 pieds	10 minutes	20 minutes

Sirops

Les fruits utilisés pour les tartes ou les sauces, ou préparés pour les personnes soumises à un régime sans sucre, peuvent être mis en conserve sans l'addition de sucre. Le sucre n'est pas nécessaire pour empêcher la corruption. Les fruits peuvent être mis en conserve dans de l'eau, dans des jus concentrés ou dans leur propre jus. Le temps de stérilisation requis est le même pour les fruits non sucrés ou sucrés.

Cependant, les fruits ont une meilleure saveur et une plus belle couleur lorsqu'ils sont conservés dans un sirop fait de sucre et d'eau.

Les sirops varient en force, allant de clairs à épais. Leur choix dépend de la sorte de fruits à conserver et de leur acidité, de leur consommation subséquente et du goût personnel.

Genres de sirop	Sucre	Eau	Quantité
Très clair	1 tasse	4 tasses	environ 4½ tasses
Clair	1 tasse	3 tasses	environ 3½ tasses
Moyen	1 tasse	2 tasses	environ 2¼ tasses
Épais	1 tasse	1 tasse	environ 1½ tasse

Manière de préparer le sirop
    Mélangez le sucre et l'eau dans une casserole ; amenez à ébullition, à feu modéré, en remuant de temps en temps, pour dissoudre le sucre. Laissez ensuite bouillir durant cinq minutes ; écumez si nécessaire. Couvrez pour éviter l'évaporation et gardez au chaud jusqu'au moment de l'utilisation.

Quantité de sirop à préparer
    Allouez approximativement 1½ tasse de sirop préparé pour chaque bocal d'une pinte.

Miel et sirop de maïs
    Le miel et le sirop de maïs peuvent être utilisés pour remplacer ¼ de la quantité de sucre requis dans la préparation d'un sirop.
    Le miel possède une saveur particulière qui lui est propre, facteur à considérer lorsqu'il est utilisé pour la mise en conserve. Un sirop de maïs légèrement aromatisé est recommandé pour les conserves de fruits pâles. L'addition de 1 c. à thé de jus de citron ou de quelques grains de sel, à chaque bocál d'une pinte de fruits, augmente leur saveur lorsqu'on utilise le sirop de maïs.

Préparation des fruits
Blanchiment
    Pour peler les pêches et les tomates, les mettre dans une passoire en métal ou un tamis. Les plonger de 15 à 60 secondes dans l'eau bouillante, puis les plonger immédiatement dans l'eau froide. La pelure s'enlèvera alors facilement.

Préservation de la couleur des fruits
    Après avoir été pelés, les fruits de couleur claire, comme les pêches, les poires, les abricots et les pommes, seront immédiatement plongés dans une saumure préparée avec 1 c. à thé de sel et 5 tasses d'eau froide. Ne les laissez pas tremper plus de 20 minutes dans cette saumure, car ils prendront goût de sel. Renouvelez la saumure dès qu'elle se décolore. Égouttez les fruits, rincez-les dans de l'eau froide
48 fraîche avant de les mettre dans les bocaux.

L'acide ascorbique (vitamine C) aide à prévenir la décoloration des fruits de couleur claire, conservés dans des bocaux de verre. Il est disponible en poudre, cristaux et comprimés. Déposez-en dans le fond des bocaux avant de les remplir avec les fruits, comptant 1/16 c. à thé (poudre ou cristaux) ou 200 milligrammes (comprimés) pour chaque bocal d'une chopine ou d'une pinte. Lorsque la stérilisation est terminée, laissez refroidir les bocaux, puis retournez-les délicatement afin de distribuer également l'acide après dissolution.

Espace de tête

L'espace vide entre la surface du liquide et le bord du contenant s'appelle l'espace de tête. Laisser un espace de tête suffisant empêche le liquide de fuir durant la stérilisation. La grandeur de cet espace est précisée dans les instructions détaillées de la mise en conserve de chaque produit. Dans la plupart des bocaux de fruits, on laissera un espace de tête d'un demi-pouce.

Méthode générale pour la mise en conserve des fruits

1. Lisez entièrement la recette avant de procéder et assurez-vous d'avoir sous la main tout l'outillage nécessaire.
2. Vérifiez l'outillage et les ustensiles, pour vous assurer de leur propreté et de leur bon état de fonctionnement.
3. Remplissez d'eau aux deux tiers le stérilisateur et faites chauffer.
4. Examinez les bocaux pour déceler les écorchures, les ébréchures sur le bord. Lavez-les ensuite à l'eau chaude savonneuse et rincez-les parfaitement. Couvrez-les avec de l'eau chaude et laissez-les ainsi jusqu'au moment du remplissage. Lavez les couvercles à l'eau chaude savonneuse et faites-les bouillir durant cinq minutes à l'eau chaude. Gardez-les dans cette eau jusqu'au moment de les utiliser.
5. Préparez le sirop, puis couvrez-le afin d'éviter l'évaporation.

6. Choississez des fruits de grosseur, maturité et couleur uniformes. Ne mettez pas en conserve les fruits tachés ou trop mûrs qui présentent des signes d'avarie.

7. Lavez soigneusement les fruits avant de les couper et de les monder.

8. Travaillez assez rapidement afin de réduire au minimum le temps écoulé entre la préparation, le remplissage des bocaux et la stérilisation.

9. Comptez le nombre de bocaux que votre stérilisateur peut contenir à la fois et préparez une quantité de fruits en conséquence. N'en préparez pas à l'avance et n'en mettez pas dans les bocaux qui devront attendre un certain temps avant d'être stérilisés.

10. Mettez les fruits dans les bocaux et couvrez-les avec le sirop bouillant, en laissant un espace de tête d'un demi-pouce. Tassez bien les fruits non cuits, car ils diminue-ront de volume durant la stérilisation. Les fruits chauds seront mis dans les bocaux sans trop les presser.

11. Faites sortir les bulles d'air en passant délicatement la lame d'un couteau propre entre le bocal et les fruits. Ajoutez plus de liquide si nécessaire pour bien couvrir les fruits. Assurez-vous que l'espace de tête recom-mandé dans la recette est respecté.

12. Essuyez parfaitement le dessus et le tour du bocal avec un linge propre humide, ou avec une serviette de papier.

13. Scellez avec le couvercle stérilisé et la bande de vissa-ge en métal (ou selon les instructions du fabricant).

14. Placez les bocaux sur une claie ou dans un panier en métal et déposez-les dans le stérilisateur dont l'eau sera chaude, mais non bouillante. Ajoutez de l'eau chaude si nécessaire, afin que les bocaux soient recouverts de un ou deux pouces d'eau. Ne versez pas cette eau direc-tement sur les bocaux, cela risquerait de les briser. Couvrez le stérilisateur et amenez l'eau à ébullition. Réduisez le feu et laissez bouillir doucement. Com-mencez à compter le temps de stérilisation lorsque l'eau bout et stérilisez selon le temps indiqué dans la recette. Maintenez le niveau d'eau à un ou deux pouces au-

dessus des bocaux en ajoutant de l'eau bouillante, si nécessaire.

15. Retirez ensuite les bocaux du stérilisateur et laissez-les refroidir, à l'abri des courants d'air, sur plusieurs épaisseurs de papier ou de linge sec, en les distançant de quelques pouces les uns des autres. Ajustez les couvercles selon les instructions du fabricant. Lorsque les bocaux sont refroidis, vérifiez leur herméticité (page 35).

16. Si un bocal n'est pas hermétiquement scellé, il peut être rempli à nouveau et scellé avec un nouveau couvercle, puis stérilisé à nouveau selon les données de la recette. Cependant, comme cela peut occasionner une surcuisson de l'aliment, il est préférable de le réfrigérer et de le consommer le plus rapidement possible.

17. Essuyez parfaitement les bocaux avec un linge humide. Étiquetez-les en indiquant le contenu et la date.

18. Remisez-les dans un endroit frais, obscur et sec.

Mise en conserve de fruits sans sucre

Fruits fermes, pommes, pêches, poires, etc.

Lavez les fruits, égouttez-les et préparez-les. Pour empêcher leur décoloration, plongez-les dans un bain de saumure. Couvrez le fond de la casserole avec suffisamment d'eau (¼ à ½ pouce) pour éviter le collage ou pour faire une sauce. Cuisez les fruits durant cinq minutes. Remplissez les bocaux chauds en laissant un espace de tête de ½ pouce. Couvrez avec de l'eau ou du jus de fruits bouillant, en laissant un espace de tête de ½ pouce. Scellez et stérilisez selon les instructions données pour de tels fruits, dans les tableaux des prochaines pages.

Fruits juteux, baies, cerises, groseilles et prunes

Lavez les fruits, égouttez-les pour la cuisson. Mettez un peu d'eau dans la casserole pour éviter qu'ils ne collent ou bien écrasez-y un peu de fruits. Ajoutez les fruits préparés et faites mijoter jusqu'à ce qu'ils soient pleinement chauds, environ 2 à 4 minutes. Mettez-les dans les bocaux en laissant un espace de tête de ½ pouce. Couvrez avec du jus de fruits concentré ou de l'eau bouillante, en laissant un

51

espace de tête de ½ pouce. Scellez et stérilisez suivant les instructions données pour de tels fruits dans les tableaux de recettes des prochaines pages.

Stérilisation des fruits à vapeur sous pression

Les fruits et les légumes acidulés sont habituellement stérilisés dans un bain d'eau. Cependant, si vous possédez un stérilisateur à vapeur sous pression tous ces aliments, sauf les fraises, peuvent être stérilisés sous pression pendant un temps plus court qu'il n'est prescrit pour le bain d'eau. Il est important que le temps de stérilisation soit bien précis, car ces fruits deviendraient facilement trop cuits. Utilisez la méthode de remplissage à froid.

Stérilisez les fruits fermes, pommes, cerises, poires, prunes, pêches, tomates durant 10 minutes, à cinq livres de pression. Les fruits juteux et les baies, sauf les fraises, sont stérilisés durant 8 minutes, à 5 livres de pression. Le temps de stérilisation est le même pour les bocaux d'une chopine ou d'une pinte.

Déclaration sur les tomates

Récemment, de nouvelles variétés de tomates ont fait leur apparition sur le marché. Ces tomates ne sont pas suffisamment acidulées pour être mises en conserve sans danger, dans un bain d'eau bouillante. Comme il est difficile d'identifier ces variétés, il est maintenant considéré comme une précaution sécuritaire nécessaire d'ajouter une petite quantité d'acide dans les conserves de tomates. L'acide critique est le principal acide trouvé dans les tomates. Lorsqu'il est dissous dans l'eau et ajouté à chaque bocal de tomates en quantité recommandée à la page 57, il augmente l'acidité des tomates à un niveau tel qu'elles peuvent être stérilisées sans danger dans un bain d'eau bouillante. L'acide citrique s'achète dans les pharmacies.

Fruits	Sirop à utiliser	Méthode de remplissage	Préparation et remplissage	Temps de stérilisation en minutes. Bain d'eau bouillante*	
				Bocaux d'une chopine	Bocaux d'une pinte
Pommes	clair ou moyen	à chaud	Laver, peler et parer. Couper en quartiers ou anneaux de ¼ pouce. Plonger dans saumure. Égoutter et rincer. Amener à ébullition dans sirop et mijoter 3 minutes. Mettre chaud dans bocaux. Laisser un espace de tête de ½ pouce. Couvrir avec sirop bouillant, laissant espace de tête de ½ pouce. Sceller et stériliser. Colorant végétal rouge peut être ajouté pour colorer sirop et fruits.	20	20
Compote de pommes	sucré au goût (environ ¼ tasse sucre pour 4 ou 5 pommes)	à chaud	Laver, peler et parer. Couper en quartiers. Mijoter, à couvert, jusqu'à tendres, avec un peu d'eau pour éviter de coller. Passer au tamis. Ajouter clou de girofle et cannelle. Sucrer, si désiré. Mettre chaud dans bocaux chaud laissant espace de tête de ½ pouce. Sceller et stériliser.	15	20
Abricots	moyen ou épais	à chaud	Laver, couper en deux et dénoyauter. Plonger dans bain de saumure. Égoutter et rincer. Amener à ébullition dans sirop et mijoter 2-3 minutes. Mettre chauds dans bocaux, côté coupé en bas, avec espace de tête de ½ po.	20	25

53

Fruits	Sirop à utiliser	Méthode de remplissage	Préparation et remplissage	Temps de stérilisation en minutes. Bain d'eau bouillante*	
				Bocaux d'une chopine	Bocaux d'une pinte
			Couvrir avec sirop bouillant en laissant espace de tête de ½ pouce. Sceller et stériliser à froid.		
			Laver, couper en deux, dénoyauter ou laisser entiers. Plonger dans un bain de saumure. Égoutter et rincer. Mettre dans bocaux, côté coupé en bas, si séparés en moitiés. Laisser espace de tête de ½ pouce. Couvrir avec sirop bouillant, en laissant espace de tête de ½ pouce. Sceller et stériliser.	25	30
Bleuets Mûres Framboises Groseilles à maquereau	clair moyen moyen à épais épais	à froid	Laver et préparer fruits. Retirer ombilics et tiges. Mettre dans bocaux avec espace de tête de ½ pouce. Couvrir avec sirop bouillant laissant espace de tête de ½ pouce. Sceller et stériliser.	15	20
Cerises sucrées Cerises sûres	moyen moyen à épais	à chaud	Laver, retirer tiges et dénoyauter si désiré. Amener à ébullition dans sirop et mijoter 3 minutes. Mettre dans bocaux avec espace de tête de ½ pouce. Sceller et stériliser.	15	15
		à froid	Laver, retirer tiges et dénoyauter si désiré. Mettre dans bocaux avec espace de tête de ½ pouce. Couvrir avec sirop bouillant, laissant espace de tête de ½ pouce. Sceller et stériliser.	20	25

54

Fruits	Sirop à utiliser	Méthode de remplissage	Préparation et remplissage	*Temps de stérilisation en minutes. Bain d'eau bouillante**	
				Bocaux d'une chopine	Bocaux d'une pinte
Pêches	moyen	à chaud	Blanchir 50 à 60 secondes. Plonger dans eau froide. Enlever pelure. Couper en deux, dénoyauter et plonger dans bain de saumure. Égoutter et rincer. Laisser en moitiés ou trancher. Amener à ébullition dans sirop et mijoter 3 minutes. Mettre dans bocaux, côté coupé en bas, laissant espace de tête de ½ pouce. Couvrir avec sirop bouillant, laissant espace de tête de ½ pouce. Ajouter acide ascorbique si désiré. Sceller et stériliser.	15	15
		à froid	Blanchir 50 à 60 secondes. Plonger dans eau froide. Enlever pelure. Couper en deux, dénoyauter et plonger dans bain de saumure. Égoutter et rincer. Laisser en moitiés ou trancher. Mettre dans bocaux, côté coupé en bas, laissant espace de tête de ½ pouce. Couvrir avec sirop bouillant, laissant espace de tête de ½ pouce. Ajouter acide ascorbique si désiré. Sceller et stériliser.	20	25
Poires	clair Épices, saveur et colorant végétal peuvent être ajoutés si désiré	à chaud	Laver, peler, couper en motiés ou quartiers. Retirer cœur. Plonger dans bain de saumure. Égoutter et rincer. Amener à ébullition dans sirop et mijoter 3 minutes pour poires à chair tendre, 5 minutes pour poires à chair ferme. Mettre chaud dans bocaux, avec espace de tête de ½ pouce. Couvrir avec sirop bouillant, laissant espace ½ pouce. Sceller et stériliser.	15	15

Fruits	Sirop à utiliser	Méthode de remplissage	Préparation et remplissage	Temps de stérilisation en minutes. Bain d'eau bouillante*	
				Bocaux d'une chopine	Bocaux d'une pinte
Pommes Ému (sour plums) Prunes à pruneaux	moyen à épais	à chaud	Laver, laisser entières ou couper en deux et dénoyauter. Amener à ébullition dans sirop et mijoter 2 minutes. Mettre chaud dans bocaux, laissant espace de tête de ½ pouce. Couvrir avec sirop bouillant laissant espace de tête de ½ pouce. Sceller et stériliser.	15	15
		à froid	Laver, laisser entières ou couper en deux et dénoyauter. Mettre dans bocaux, en laissant espace de tête de ½ pouce. Couvrir avec sirop bouillant, laissant espace de tête de ½ pouce. Sceller et stériliser.	20	25
Rhubarbe	épais	à froid	Laver et couper en morceaux de ½ pouce. Mettre dans bocaux en laissant espace de tête de ½ pouce. Couvrir avec sirop bouillant, laissant espace de tête de ½ pouce. Sceller et stériliser.	10	15
Fraises	épais	à chaud	Laver et équeuter. Amener sirop à ébullition. Ajouter fraises. Couvrir, retirer du feu, laisser reposer une heure. Amener à ébullition Mettre chaud dans bocaux en laissant espace de tête de ½ pouce. Sceller et stériliser.	10	10

Fruits	Sirop à utiliser	Méthode de remplissage	Préparation et remplissage	Temps de stérilisation en minutes. Bain d'eau bouillante*	
				Bocaux d'une chopine	Bocaux d'une pinte
		à froid	Laver et équeuter. Amener lentement à ébullition dans sirop. Couvrir, retirer du feu, laisser reposer une heure. Amener à ébullition. Mettre dans bocaux, laissant espace de tête de ½ pouce. Sceller et stériliser.	15	20
Tomates	aucun	à froid	Blanchir de 15 à 60 secondes. Plonger dans eau froide. Retirer pédoncule et peler. Remplir à demi les bocaux. Ajouter ¼ c. à thé d'acide citrique et ½ c. à thé de sel dissous dans 1 c. à table d'eau bouillante pour chaque bocal d'une chopine. Ajouter ½ c. à thé d'acide citrique et 1 c. à thé de sel dissous dans 1 c. à table d'eau bouillante pour chaque bocal d'une pinte. Finir de remplir les bocaux. Couvrir avec jus de tomate chaud ou eau chaude, laissant espace de tête de ½ pouce. Sceller et stériliser. (Acide citrique, disponible dans les pharmacies)	55	50

*Le temps de stérilisation indiqué convient aux aliments stérilisés à des altitudes de moins de 1,000 pieds au-dessus du niveau de la mer. Voyez page 47, pour le temps de stérilisation supplémentaire recommandé à des altitudes plus élevées.

Fruits au brandy
(une grande terrine)

---

1 bouteille (32 ou 40 onces) de brandy
Zeste râpé d'une grosse orange
Zeste râpé d'un citron
Zeste râpé d'une lime
Zeste râpé d'un quart d'un pamplemousse
1 bâton de cannelle
1 noix de muscade entière
12 clous de girofle entiers
6 quatre-épices entiers
1 pinte de fraises mûres, lavées et équeutées
Sucre
Cerises sucrées, lavées, équeutées et dénoyautées
Pêches mûres, pelées, dénoyautées et coupées en quartiers
Ananas mûr, pelé et coupé en cubes
Mûres ou framboises lavées et équeutées

---

1. Laver un grand pot en faïence et bien le rincer à l'eau
   bouillante. Y verser le brandy. Ajouter les zestes râpés de
   fruits et les épices.
2. Peser les fraises et les mettre dans le pot avec une égale
   quantité de sucre. Placer une petite assiette sur les fruits
   afin qu'ils macèrent entièrement dans le brandy. Couvrir
   hermétiquement le pot et laisser reposer dans un endroit
   frais.
3. Ajouter les cerises, les pêches, les ananas et les mûres
   ou framboises en quantités désirées, au fur et à mesure
   qu'ils sont disponibles au cours de la saison. Chaque fois
   que les nouveaux fruits sont ajoutés, les peser et les
   mettre dans le pot avec une quantité égale de sucre.
   Garder les fruits submergés dans le sirop.
4. Lorsque les derniers fruits ont été ajoutés, couvrir le pot
   très hermétiquement et laisser reposer dans un endroit
   frais durant 3 mois avant de servir les fruits. Après ce
   temps, les fruits peuvent être mis dans des bocaux stéri-

lisés et bien scellés. Ou encore, ils peuvent être laissés dans le pot de faïence couvert et gardé dans un endroit frais.

Pêches au brandy
(3 pintes)

---

1 panier de pêches mûres (4 pintes, environ 5 livres)
3 tasses de sucre
1½ tasse d'eau
1 tasse de brandy
1 orange tranchée
Bâtons de cannelle
Clous de girofle entiers

---

1. Laver les pêches. Les blanchir de 40 à 60 secondes dans l'eau bouillante. Les plonger ensuite dans l'eau froide, puis les peler. Laisser entières les petites pêches, couper les grosses en deux et enlever le noyau. Afin de prévenir la décoloration, plonger les pêches dans un bain de saumure.
2. Mettre le sucre et l'eau dans une grande marmite et amener à ébullition en remuant pour dissoudre le sucre. Couvrir et garder au chaud.
3. Remplir des bocaux d'une pinte propres et chauds avec les pêches égouttées, en laissant un espace de tête de ½ pouce (huit ou neuf petites pêches entières par bocal). Ajouter dans chaque bocal deux ou trois tranches d'orange, un bâton de cannelle et trois ou quatre clous de girofle entiers.
4. Remuer le brandy dans le sirop chaud et verser sur les fruits, en laissant un espace de tête de ½ pouce. Bien essuyer les bocaux et les fermer. Stériliser durant 20 minutes les bocaux d'une chopine et durant 25 minutes les bocaux d'une pinte.

Châtaignes au rhum
(environ 3 chopines)

---

6 tasses d'eau
2 livres de châtaignes fraîches
4½ tasses de sucre brun foncé
1½ tasse de rhum blanc
½ orange tranchée mince
1 c. à table de gingembre confit, haché

---

1. Amener l'eau à ébullition dans une grande casserole. Ajouter les châtaignes et laisser mijoter, couvertes, environ 1 heure, ou jusqu'à ce qu'elles soient tendres. Les égoutter et enlever la peau ; bien les rincer.
2. Mélanger le sucre brun avec 1½ tasse d'eau, le rhum, les tranches d'orange et le gingembre. Chauffer jusqu'à ce que le sucre soit dissous.
3. Mettre les châtaignes dans des bocaux chauds et stérilisés et couvrir avec le sirop. Placer une tranche d'orange dans chaque bocal. Sceller immédiatement.

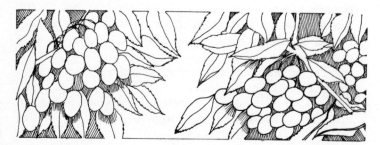

4. Légumes

Ne projetez pas de faire la mise en conserve des légumes à moins que vous ne possédiez un stérilisateur à vapeur sous pression en bon état, assez grand pour contenir des bocaux petits et moyens. Pour détruire complètement les micro-organismes nocifs dans les aliments faiblement acidulés (légumes, viande, volaille et fruits de mer) et qui résistent à des températures élevées, la stérilisation doit être faite dans un stérilisateur à vapeur sous pression d'une capacité de 10 livres de pression (240F, 155C) au niveau de la mer, durant une période de temps précise, spécifiée dans des recettes modernes. Nous insistons fortement sur l'importance de cette pratique. Bien des gens apporteront l'argument que, dans les années passées, la stérilisation des aliments, dans des bocaux ou des boîtes de métal, se faisait dans un simple stérilisateur à eau bouillante, pouvant amener la température de l'eau à 212F (100C) seulement. Mais ils oublient d'ajouter que cette méthode de stérilisation apporte, très souvent, le risque de contamination par le botulisme.

Les maîtresses de maison désireuses de faire la mise en conserve et qui ignorent les recommandations basées sur de récentes découvertes de laboratoire, ou qui utilisent d'anciennes publications contenant des informations maintenant dépassées, jouent avec le danger et même avec leur vie et celle des leurs.

Si le micro-organisme *Clostridium botulinum,* capable de résister à une température de 212F (eau bouillante au niveau de la mer), contenu dans les aliments faiblement acidulés, n'est pas détruit, il produira, durant l'emmagasinage des aliments, la toxine botulique, imperceptible dans la senteur, le goût ou l'apparence, mais fatal même en de très petites quantités.

61

Le choix des légumes

Lorsque vous choisissez des légumes pour la mise en conserve, voyez à ce qu'ils soient jeunes, tendres et ne montrent aucun signe d'avarie. Ils doivent être mis en conserve aussitôt que possible après leur cueillette.

Le temps de stérilisation

Suivez exactement le temps de stérilisation recommandé. Chaque aliment demande une préparation et un temps de stérilisation spécifique. Le temps de stérilisation est basé sur celui que prend la chaleur pour pénétrer les alimentes, jusqu'à ce que chaque particule atteigne le degré de 240F (115C) au niveau de la mer. Le même légume, coupé de différentes manières, demande des temps de stérilisation différents. Par exmeple, le maïs en grains entiers mis dans de petits bocaux et stérilisés à 10 livres de pression exige 60 minutes de stérilisation, tandis que le maïs en crème, stérilisé à la même pression, nécessite une stérilisation de 75 minutes. Alors, observez toujours exactement le temps de stérilisation exigé dans les recettes.

Altitudes et temps de stérilisation

Si vous demeurez à une altitude de moins de 2,000 pieds environ du niveau de la mer, stérilisez les légumes à 10 livres de pression, durant le temps mentionné dans la recette. Si vous demeurez à une altitude au-dessus de 2,000 pieds, il vous faudra plus de 10 livres de pression pour atteindre 240F (115C). Donc, procédez selon le tableau suivant.

Altitude	Livres de pression	Temps de stérilisation
2,000 pieds	11 livres	tel que recommandé dans la recette
4,000 pieds	12 livres	tel que recommandé dans la recette
6,000 pieds	13 livres	tel que recommandé dans la recette
8,000 pieds	14 livres	tel que recommandé dans la recette
10,000 pieds	15 livres	tel que recommandé dans la recette

Si votre contrôle de pression est à pesée, utilisez 15 livres de pression pour une stérilisation faite à plus de 2,000 pieds d'altitude.

Le sel

Le sel est utilisé dans la mise en conserve des légumes uniquement pour en rehausser la saveur. Il n'aide pas à leur conservation. Ajoutez ½ cuillerée à thé de sel pour chaque bocal d'une chopine, et une cuillerée à thé pour chaque bocal d'une pinte.

L'espace de tête

Laissez un espace de tête de ½ pouce dans les bocaux, sauf pour le maïs et les pois, qui nécessitent 1 pouce à cause de leur plus grande dilatation durant la stérilisation.

Méthode de remplissage à chaud

La méthode de remplissage à chaud peut être utilisée pour tous les légumes, excepté les tomates. Elle aide à neutraliser les enzymes et les micro-organismes détruits à des températures élevées. Elle réduit aussi au minimum l'air dans les bocaux et favorise le rétrécissement des aliments, permettant ainsi de remplir davantage les bocaux et de réduire le temps de stérilisation.

Triez, lavez, égouttez et préparez les légumes comme la recette le demande. Couvrez-les d'eau bouillante, amenez à ébullition, puis laissez bouillir, couverts, durant le temps indiqué dans la recette. Mettez dans les bocaux propres et chauds. Ajoutez le sel. Couvrez avec le liquide de cuisson chaud en laissant l'espace de tête recommandé. Ajoutez de l'eau bouillante, si nécessaire. Scellez les bocaux et stérilisez-les immédiatement, le temps indiqué pour chaque légume dans les tableaux de recettes des prochaines pages.

Ne préparez pas plus de bocaux que votre stérilisateur à vapeur sous pression peut en contenir en une seule fois.

Mise en garde contre la corruption

Ne goûtez jamais aux légumes qui présentent des signes de corruption. N'en mangez surtout pas. Vérifiez chaque bocal avant de l'utiliser. Les couvercles bombés ou même une simple fuite de liquide peuvent signifier que le scellage n'est pas hermétique et que l'aliment est avarié. Lorsque vous ouvrez un contenant, vérifiez toujours les autres signes avertisseurs : liquide bouillonnant, odeur étrange, moisissure, etc.

La toxine botulique est très difficile à déceler à l'apparence, à la senteur ou au goût. Par conséquent, comme mesure de précaution, il est recommandé que tous les légumes mis en conserve à la maison, ainsi que leur liquide de conservation, soient bouillis, à découvert, durant 10 minutes, avant d'y goûter ou de les manger. Cette ébullition détruit la toxine.

Disposez des légumes corrompus soit en les brûlant, ou soit de toute autre manière, les soustrayant à la consommation des êtres humains ou des animaux.

Méthode générale pour la mise en conserve des légumes

1. Lisez entièrement les recettes avant de commencer. Soyez certaine d'avoir sous la main tout l'outillage et tous les ingrédients nécessaires.
2. Lisez attentivement le livret d'instructions accompagnant le stérilisateur à vapeur sous pression.
3. Vérifiez le bord des bocaux pour y déceler les écorchures, les ébréchures, les éclats, et mettez de côté ceux qui ne sont pas parfaits. Lavez les bocaux et les couvercles dans de l'eau chaude savonneuse. Rincez bien les bocaux et laissez-les dans l'eau chaude jusqu'au moment du remplissage. Faites bouillir les couvercles durant 5 minutes et retirez-les de l'eau, un à la fois, au fur et à mesure que vous en aurez besoin.
4. Triez les légumes d'égale grosseur. Mettez de côté ceux qui vous semblent avariés.
5. Lavez parfaitement les légumes avant de les peler ou de les couper. Utilisez une brosse à légumes pour en enlever la terre.
6. Évaluez le nombre de bocaux que votre stérilisateur peut contenir en une seule fois et préparez une quantité

64

d'aliments suffisante pour une seule stérilisation. Ne laissez pas tremper les légumes dans l'eau, ils y perdraient leurs vitamines et minéraux.

7. Mettez les légumes dans une marmite et couvrez-les d'eau bouillante. Amenez à ébullition, puis laissez bouillir, à couvert, durant le temps indiqué dans la recette.
8. Pour éviter le bris des bocaux chauds et remplis, placez-les sur un linge sec ou sur une planche de bois.
9. Le remplissage des bocaux doit se faire le plus rapidement possible.
10. Remplissez un à un les bocaux avec les légumes. Ajoutez le sel et couvrez-les avec le liquide de cuisson bouillant ou de l'eau bouillante, en laissant l'espace de tête indiqué.
11. Lorsque les bocaux sont remplis, expulsez l'air en promenant la lame d'un couteau propre à l'intérieur du bocal entre les aliments.
12. Scellez chaque bocal avec un couvercle stérilisé et une bande de vissage, aussitôt qu'il est rempli.
13. Placez les bocaux, scellés et remplis, dans le stérilisateur à vapeur sous pression, en suivant le mode d'emploi du fabricant. Stérilisez à la pression et durant le temps indiqués dans la recette.
14. Après la stérilisation, ouvrez le stérilisateur selon les instructions données. Retirez les bocaux et placez-les sur une grille en métal ou sur des épaisseurs de linge sec. Pour éviter le bris des bocaux durant le refroidissement, ne les placez pas sur une surface froide ou humide et tenez-les à l'abri des courants d'air.

15. Ajustez les couvercles selon les instructions données par le fabricant.
16. Lorsque les bocaux sont refroidis, vérifiez leur herméticité (page 43).
17. Si un bocal n'est pas hermétique, les aliments qu'il contient peuvent être amenés de nouveau à ébullition, puis remis dans un autre bocal propre et chaud, scellé avec un nouveau couvercle et restérilisé suivant les données originales de la recette. Il ne faut jamais laisser s'écouler plus de 24 heures avant une nouvelle stérilisation. Cependant, comme cette méthode peut amener une surcuisson des aliments, vous préférerez peut-être les réfrigérer et les consommer le plus tôt possible.
18. Essuyez les bocaux et étiquetez-les, en indiquant le contenu et la date.
19. Remisez-les dans un endroit frais, obscur et sec.

Mise en garde

Avant de commencer la mise en conserve des légumes, assurez-vous que votre stérilisateur à vapeur sous pression est en parfait état. Suivez avec précision les recettes et observez le temps de stérilisation indiqué. Comme mesure de sécurité additionnelle, faites bouillir, à découvert, toutes les conserves-maison de légumes, ainsi que leur liquide, excepté les tomates, durant 10 minutes, avant d'y goûter ou de les consommer. Le maïs et les courges devront bouillir durant 20 minutes.

Ne goûtez ni ne mangez aucun légume qui fermente ou présente une odeur inhabituelle ou désagréable. Brûlez les légumes avariés ou disposez-en de manière à ce qu'aucun être humain ou animal ne puisse les manger.

Tableau des recettes pour les légumes stérilisés à vapeur sous pression — 10 livres de pression

Légumes	Préparation et remplissage des bocaux	Temps de stérilisation en minutes*	
		Bocaux d'une chopine	Bocaux d'une pinte
Asperges	Bien laver, et couper les parties dures. Couper de longueur uniforme, selon la grandeur des bocaux, afin de pouvoir laisser un espace de tête de ½ pouce. Attacher en bottes égales. Placer debout dans suffisamment d'eau pour couvrir les pointes. Couvrir casserole et amener à ébullition, puis laisser bouillir 3 minutes. Mettre chaudes dans bocaux, pointes en haut (quelques asperges renversées, au centre du bocal, aideront à faire tenir). Ajouter sel. Couvrir avec liquide chaud de cuisson, en laissant espace de tête de ½ pouce. Sceller et stériliser.	30	35
Haricots verts ou jaunes	Laver de jeunes et tendres haricots. Couper les deux extrémités et retirer les fils, si nécessaire. Laisser entiers ou couper en morceaux. Couvrir d'eau bouillante. Amener à ébullition, puis laisser bouillir, à couvert, 3 minutes. Mettre chauds dans bocaux, avec espage de tête de ½ pouce. Ajouter sel. Couvrir avec liquide chaud de cuisson, en laissant espace de tête de ½ pouce. Sceller et stériliser.	30	35
Betteraves	Laver de petites et jeunes betteraves. Laisser les racines et 2 pouces de tiges afin d'éviter le saignement. Couvrir d'eau bouillante. Amener à ébullition, puis laisser bouillir, à couvert, jusqu'à ce que la pelure s'enlève facilement, environ 25 minutes. Retirez pelure, tiges et racines. Mettre chaudes dans bocaux, avec espace de tête de ½ pouce. Ajouter sel. Couvrir d'eau bouillante en laissant espace de tête de ½ pouce. Sceller et sétriliser.	30	35

67

Tableau des recettes pour les légumes stérilisés à vapeur sous pression — 10 livres de pression

Légumes	Préparation et remplissage des bocaux	Temps de stérilisation en minutes*	
		Bocaux d'une chopine	Bocaux d'une pinte
Carottes	Laver et gratter de jeunes carottes tendres. Couvrir d'eau bouillante. Amener à ébullition, puis laisser bouillir, à couvert, 5 minutes. Mettre chaudes dans bocaux, debout, en alternant pointes et bouts. Laisser espace de tête de ½ pouce. Ajouter sel. Couvrir d'eau bouillante en laissant espace de tête de ½ pouce. Sceller et stériliser.	30	35
Maïs entier, en grains	Laver les épis. Couvrir d'eau bouillante. Amener à ébullition, puis laisser bouillir, à couvert, 4 minutes. Plonger dans eau froide. Couper les grains des épis. Couvrir d'eau bouillante en utilisant la moitié autant d'eau que de maïs. Amener à ébullition. Mettre chaud dans bocaux, sans tasser, laissant espace de tête de 1 pouce. Ajouter sel. Sceller et stériliser.	60	70
Maïs en crème	Laver les épis. Couper de minces couches de grains des épis. Ensuite, trancher les grains qui restent sur les épis et, finalement, gratter les épis pour en retirer la crème ou le jus. Couvrir d'eau bouillante en utilisant la moitié autant d'eau que de maïs. Amener à ébullition, en remuant, pour empêcher de coller. Mettre chaud, sans tasser, dans les bocaux, avec un espace de tête de ½ pouce. Ajouter sel. Sceller et stériliser.	75	Non recom-mandé
Légumes verts Épinards Cardon Fanes de betteraves	Laver parfaitement. Cuire, à couvert, dans une très petite quantité d'eau, jusqu'à complètement fanés, environ 5 à 8 minutes. Retourner plusieurs fois durant la cuisson. Mettre chauds dans bocaux, sans tasser, laissant espace de tête de ½ pouce. Couper les légumes verts en biais, au fond du bocal, avec un couteau propre. Ajouter sel. Couvrir d'eau bouillante, laissant	50	60

Tableau des recettes pour les légumes stérilisés à vapeur sous pression — 10 livres de pression

Légumes	Préparation et remplissage des bocaux	Temps de stérilisation en minutes*	
		Bocaux d'une chopine	Bocaux d'une pinte
	espace de tête de ½ pouce. Sceller et stériliser.		
Champignons	Il n'est pas recommandé de mettre les champignons en conserve à la maison.		
Pois	Écosser et laver de jeunes pois tendres. Couvrir d'eau bouillante. Amener à ébullition, puis laisser bouillir, à couvert, 1 minute. Mettre chauds dans bocaux, sans tasser, avec espace de tête de ½ pouce. Ajouter sel. Couvrir avec liquide chaud de cuisson, laissant espace de tête de 1 pouce. Sceller et stériliser.	40	45
Citrouille, Courges d'hiver	Couper ou briser en morceaux. Retirer graines et fibres filamenteuses. Couper en morceaux. Mijoter, cuire ou bouillir dans une petite quantité d'eau, jusqu'à tendreté. Gratter la pelure pour en retirer toute la chair, mettre en purée ou passer au tamis. Amener à ébullition, ajoutant un peu d'eau, si nécessaire, pour empêcher de coller. Mettre chaud dans les bocaux, laissant espace de tête de ½ pouce. Sceller et stériliser.	70	80

* La pression et le temps de stérilisation sont donnés pour les aliments stérilisés à des altitudes de moins de 2,000 pieds au-dessus du niveau de la mer. Voyez, à la page 47, les instructions pour la stérilisation à des altitudes plus hautes.

5. Confitures, marmelades de fruits, conserves et beurres

Il est toujours agréable de pouvoir servir des tartines de confitures faites à la maison ou d'offrir une grande variété de confitures, gelées et conserves. Les confitures et les gelées sont meilleures lorsqu'elles sont préparées en petites quantités à la fois, et bien souvent elles peuvent être faites en un après-midi de loisirs. Bien que les supermarchés présentent une variété illimitée de confitures et de gelées, bien peu d'entre elles égalent la délicieuse saveur de celles faites à la maison.

Les confitures sont préparées avec des fruits entiers, coupés ou broyés. La cuisson permet d'en amollir la peau et la chair et d'en extraire la pectine. Ils sont ensuite bouillis avec le sucre jusqu'à consistance de gelée. Les tartines de confiture sont excellentes.

Les conserves de fruits sont faites de petits fruits entiers, ou de plus gros coupés en morceaux d'égale grosseur, et cuits dans le sirop. Lorsque les fruits ne sont pas coupés, il faut leur conserver leur forme naturelle. Il est souvent recommandé de laisser reposer les fruits cuits durant toute une nuit, afin de permettre au sirop de bien les pénétrer. Les fruits sont ensuite placés dans des bocaux et le sirop est amené à ébullition jusqu'à ce qu'il ait la consistance désirée. Les conserves de fruits sont utilisées comme garnitures de crème glacée, dans les desserts ou comme tartines.

Les conserves sont souvent faites d'une combinaison de fruits auxquels on peut ajouter des noix ou du raisin. Elles sont habituellement moins sucrées que les confitures. Les noix seront d'abord trempées dans l'eau bouillante et ajoutées seulement durant les cinq dernières minutes de la cuisson. Les conserves sont utilisées comme garnitures, tartines, ou dans la préparation des gâteaux.

Les marmelades sont préparées avec un mélange de fruits dont l'un est habituellement du groupe des agrumes. Elles sont délicieuses lorsque servies au petit déjeuner avec des rôties, des brioches et des petits pains sucrés.

Les beurres, dont on connaît plusieurs variétés, sont préparés avec la pulpe cuite des fruits. À base de sucre ou d'épices, ils font toujours de succulentes tartines.

Acide

L'acide est un élément essentiel dans la préparation des confitures ou des gelées. Le jus de fruit, chauffé avec le sucre et la pectine, se transforme et se solidifie à demi. Les fruits sont plus acides lorsqu'ils ne sont pas tout à fait mûrs. Le jus de citron ou l'acide tartrique peuvent être utilisés pour augmenter la teneur en acide dans une recette.

Sucre

La quantité de sucre à ajouter à une recette dépend de sa quantité de pectine. Une haute teneur en pectine permet d'ajouter plus de sucre à la recette. Cela peut en améliorer la saveur et prolonger la durée de conservation des bocaux remplis.

Pectine naturelle

La pectine est une substance qui se trouve naturellement dans les fruits. Chauffée avec l'acide et le sucre dans des proportions exactes, elle se transforme en gelée. Elle peut même varier, d'année en année, pour les mêmes fruits.

Les fruits non mûris à point en contiennent davantage que ceux qui sont tout à fait mûrs. Dans les fruits très mûrs, elle se change en acide pectique et perd ainsi ses possibilités de se transformer en gelée.

Les fruits mûrs sont les plus savoureux pour les confitures et les gelées, mais il n'est pas toujours facile d'en faire une belle gelée. Pour obtenir une confiture riche en saveur, et de bonne consistance, il vaut mieux utiliser un mélange de fruits pas tout à fait mûrs et de fruits mûrs. Suivez exacte- 71 ment les données de la recette, car une cuisson prolongée détruit aussi la capacité des fruits de donner une belle gelée.

Pectine commerciale

On peut ajouter de la pectine à une recette soit en utilisant de la pectine commerciale, soit en ajoutant le jus d'un fruit riche en pectine, comme les pommes. Si vous recourez à la pectine commerciale, suivez exactement le mode d'emploi prescrit sur l'emballage. La pectine liquide est disponible en bouteille de 6 onces. Celle en poudre se présente en enveloppe de 1¾ once et, habituellement, chaque boîte contient une enveloppe. Utilisez toujours le genre de pectine mentionnée dans la recette.

Teneur en pectine et en acide des fruits

Fruits riches en pectine et en acide : Pommes sures, groseilles rouges et noires, groseilles à maquereau, pommettes, canneberges, pamplemousses, citrons, limes, raisins, mûres, cerises sures, oranges sures et une grande variété de prunes.

Fruits riches en pectine et faibles en acide : Pommes sucrées, coings, melons, bananes, cerises sucrées et les figues pas trop mûres.

Fruits faibles en pectine et riche en acide : Abricots, rhubarbe, fraises, ananas, pommes grenades et cerises sucrées.

Fruits faibles en pectine et en acide : Poires, pêches, figues mûres, framboises et les fruits très mûrs.

Essai de pectine

Il est assez facile de déterminer la teneur en pectine d'un fruit cuit dans l'eau. Mesurez 1 cuillerée à table de jus de fruit et 1 cuillerée à table d'alcool de grain non poison et dénaturé, et remuez lentement. L'alcool condense la pectine et un caillot se forme. Le genre de caillot formé indique la quantité de pectine.

On peut ajouter de la pectine aux fruits qui n'en contiennent pas suffisamment. Plusieurs recettes combinent des fruits riches en pectine avec d'autres qui le sont moins, ce qui donne un mélange de saveurs agréables et toujours une gelée de bonne consistance.

Degré de consistance

On fait cuire les fruits avec ou sans sucre, afin de les attendrir et d'en extraire la pectine, le sucre est ajouté (s'il ne l'a pas été au début), et le mélange est amené rapidement à ébullition pour laisser s'évaporer le surplus d'humidité et amener la gelée à la bonne consistance. On peut déterminer le degré de consistance de plusieurs manières. Attention : durant l'essai de pectine, retirez la confiture du feu, afin de ne pas en rater le degré de consistance.

Test de température

La plupart des fruits atteignent la consistance de gelée entre 221 et 230F (105 et 110C). Par conséquent, un thermomètre à gelée ou à bonbons peut être utile pour déterminer cette consistance. Les fruits riches en pectine peuvent atteindre cette phase aux environs de 218F (103C).

On peut encore faire ce test en prenant la température de l'eau bouillante dans votre région. La consistance de gelée est habituellement atteinte à 8F (4C) au-dessus de la température de l'eau bouillante.

Lisez attentivement la température au thermomètre. Remuez bien le mélange et assurez-vous que le thermomètre ne touche pas le fond de la marmite.

Test de la goutte

La consistance est difficile à déterminer lorsque le   73

mélange est chaud. En conséquence, la confiture doit être retirée du feu pour chaque essai. Trempez une cuillère de métal froide dans la confiture et laissez égoutter. Lorsque deux gouttes roulent ensemble pour n'en former qu'une, la consistance est bonne.

Test de l'assiette
Mettez un peu de confiture chaude dans une assiette froide et faites refroidir rapidement. Si la confiture a atteint la bonne consistance, elle se plissera lorsque vous la remuerez.

Écume
Si une écume se forme à la surface de la confiture durant la cuisson, on l'enlèvera juste avant de verser la confiture dans les bocaux. Un écumage durant la cuisson est peine perdue.

Remplissage des bocaux
Lorsque la confiture a atteint la bonne consistance, retirez-la du feu. Écumez et versez rapidement dans des verres à gelée ou des bocaux à conserve stérilisés, en laissant un espace de tête de ½ pouce. Les marmelades de fruits ou les confitures faites de fruits entiers devront être refroidies légèrement. Il faudra aussi les remuer doucement afin de répartir les fruits, de les garder suspendus dans la confiture et de les empêcher de remonter à la surface.

Verres à gelée ou bocaux à conserve
On peut garder les confitures, gelées et marmelades dans des verres à gelée ou des bocaux à conserve. Cependant, les conserves de fruits devront être scellées uniquement dans des bocaux à conserve.

Préparation des bocaux
1. Examinez les bocaux afin d'y déceler les écorchures, les fissures ou les bords coupants.
2. Lavez-les soigneusement dans de l'eau chaude savonneuse et rincez-les parfaitement.
3. Stérilisez-les dans l'eau bouillante durant 20 minutes.

Puis laissez-les dans l'eau chaude jusqu'au moment de les utiliser.

4. Retirez les bocaux et placez-les, la tête en bas, sur une planche de bois ou sur plusieurs épaisseurs de papier éponge.
5. Les bocaux devront être chauds au moment du remplissage.
6. Faites bouillir durant cinq minutes, les couvercles protecteurs ou ceux de métal avec bandes de vissage. Laissez-les dans l'eau jusqu'au moment de la fermeture des bocaux.

Scellage

Les confitures, gelées et marmelades peuvent être scellées avec de la paraffine chaude et fondue, ou au moyen d'un couvercle de métal et d'une bande de vissage. Par contre, on scellera toujours les conserves de fruits avec le couvercle de métal et la bande de vissage.

Paraffine

Faites fondre la paraffine dans la partie supérieure d'un bain-marie. Qu'elle soit chaude, mais non fumante.

Laissez refroidir légèrement la confiture. Pour une herméticité complète, veillez à ce qu'il n'y ait aucune goutte de confiture sur le bord intérieur du verre. Versez une mince couche de paraffine sur la confiture, puis pencher le bocal pour la répartir uniformément. Crevez toute bulle d'air qui pourrait se former. Lorsque la paraffine est prise, versez-en une seconde couche et penchez à nouveau le bocal pour la répartir encore également. Fermez le bocal avec le couvercle de métal et rangez-le dans un endroit frais et sec.

Méthode générale pour préparer les confitures

1. Lisez entièrement la recette et assurez-vous d'avoir sous la main tous les ingrédients nécessaires.
2. Vérifiez les bocaux pour y déceler les écorchures et les fissures, puis lavez-les à l'eau chaude savonneuse et stérilisez-les durant 20 minutes à l'eau bouillante.
3. Choisissez les fruits en les mélangeant ainsi : une moitié 75

de fruits mûrs et une moitié de fruits pas tout à fait mûrs. Lavez les fruits et enlevez-en les parties meurtries.

4. Préparez la recette, sans la doubler. Les résultats obtenus seront meilleurs si vous préparez de petites quantités à la fois (environ 3 à 4 pintes de fruits).

5. Remuez occasionnellement le mélange, particulièrement durant la période finale de cuisson, afin d'éviter que le tout ne colle ou ne brûle.

6. Lorsque le mélange commence à épaissir, vérifiez-en la consistance. N'oubliez pas de retirer la casserole du feu durant ce test, car la consistance de la confiture pourrait être ratée.

7. Les fruits riches en pectine, tels que les groseilles à maquereau, les cassis et plusieurs sortes de prunes épaississent en refroidissant. Par conséquent, évitez de les faire trop cuire (environ 218F, 103C, est suffisant).

8. Écumez soigneusement la confiture. Versez dans des bocaux chauds et stérilisés. Scellez immédiatement, si la stérilisation est nécessaire.

9. Si vous utilisez des verres à gelée, laissez refroidir légèrement la confiture avant de la paraffiner.

10. Couvrez ensuite avec le couvercle en métal protecteur.

11. Étiquetez en indiquant le contenu et la date.

12. Rangez dans un endroit frais et sec.

Confiture de baies
(4 bocaux de huit onces)

---

4 tasses de baies broyées (environ 2 pintes)
4 tasses de sucre

---

1. Trier, laver, égoutter et équeuter les baies ; les broyer et les mesurer. Les mélanger avec le sucre, dans une marmite. Amener à ébullition, puis laisser bouillir, en remuant constamment, jusqu'à ce que le sucre soit dissous et que la consistance de confiture soit atteinte.

2. Retirer du feu et écumer.

3. Verser dans des bocaux chauds et stérilisés, et sceller immédiatement.

NOTA : Cette recette peut être utilisée pour les mûres, bleuets, groseilles, framboises, fraises.

Confiture de prunes et de framboises
(Environ 12 bocaux de huit onces)

4 tasses de chair de prunes (environ 2½ livres de prunes)
3 tasses de framboises fraîches (environ 1½ chopine)
10 tasses de sucre
½ tasse de jus de citron
1 bouteille (6 onces) de pectine liquide

1. Laver et trier les fruits.
2. Couper les prunes en deux et les dénoyauter. Les passer au hachoir, en utilisant le couteau le plus fin. Les mettre dans une grande casserole avec les fraises, le sucre et le jus de citron et remuer pour bien mélanger. Amener le tout à ébullition, à feu vif, en remuant constamment. Laisser bouillir fortement durant 1 minute.
3. Retirer du feu, ajouter immédiatement la pectine. Écumer.
4. Verser dans des bocaux chauds et stérilisés, et sceller immédiatement.

Confiture de groseilles
(4 à 5 bocaux de huit onces)

1 livre de groseilles
4 tasses de sucre
2½ tasses d'eau

1. Laver et équeuter les groseilles. Les mettre dans une grande marmite avec l'eau. Amener à ébullition, puis laisser bouillir, à découvert, durant 20 minutes, en remuant de temps en temps. Ajouter le sucre et remuer

jusqu'à ce qu'il soit dissous. Amener de nouveau à ébullition et cuire jusqu'à consistance de gelée.
2. Retirer du feu et écumer.
3. Verser la confiture dans des bocaux chauds et stérilisés, et sceller immédiatement.

Confiture d'abricots
(8 bocaux de huit onces)

4 livres d'abricots frais
6 tasses de sucre
Jus de 1 citron

1. Laver les abricots, les dénoyauter et les couper en dés. Ne pas les peler. Les mélanger avec le sucre, dans une grande marmite. Amener à ébullition en remuant pour dissoudre le sucre. Laisser bouillir, à découvert, en remuant de temps en temps, jusqu'à consistance de confiture.
2. Retirer du feu et écumer.
3. Verser dans des bocaux chauds et stérilisés, et sceller immédiatement.

Confiture d'abricots secs et d'ananas
(environ 10 bocaux de huit onces)

4 livres d'abricots secs, coupés en dés
1 gros ananas frais
ou 1 boîte (20 onces) d'ananas broyé, bien égoutté
6 tasses de sucre
Jus de 1 citron

1. Faire tremper les abricots toute la nuit dans juste assez d'eau pour les couvrir. Le lendemain, les mettre dans une grande casserole, sans les égoutter, et les faire mijoter, à découvert, durant 20 minutes.

2. Peler l'ananas, retirer les yeux, le cœur ; râper l'ananas

ou le passer au mélangeur. L'ajouter aux abricots avec le sucre et le jus de citron. Amener le tout à ébullition, en remuant pour dissoudre le sucre. Laisser bouillir, à découvert, en remuant de temps à autre, jusqu'à consistance de confiture. Retirer du feu et écumer.

3. Verser dans des bocaux chauds et stérilisés, et sceller immédiatement.

Confiture de rhubicot
(5 à 6 bocaux de huit onces)

3 tasses d'abricots frais, coupés en dés (environ ¼ livre)
1 tasse de rhubarbe, coupée en dés (environ 1 livre)
1 c. à table de zeste de citron râpé
¼ tasse de jus de citron
2½ tasses de sucre

1. Laver les abricots, les dénoyauter et les couper en dés. Ne pas les peler.
2. Laver la rhubarbe, enlever les bouts et la couper en dés.
3. Mélanger tous les ingrédients dans une grande marmite et amener à ébullition. Laisser bouillir, à découvert, en remuant de temps en temps, jusqu'à consistance de confiture, environ 35 à 40 minutes. Retirer du feu et écumer.
4. Verser dans des bocaux chauds et stérilisés, et sceller immédiatement.

Confiture de fraises et de rhubarbe
(7 bocaux de huit onces)

1 pinte de fraises bien mûres
1½ livre de rhubarbe
Jus de 1 orange
Zeste râpé de 1 orange
6 tasses de sucre

1. Trier les fraises, les laver, bien les égoutter et les équeuter.

2. Laver la rhubarbe, enlever les deux extrémités ; couper la rhubarbe en morceaux de ½ pouce.
3. Mettre les fraises, la rhubarbe, le jus et le zeste d'orange dans une grande casserole. Amener à ébullition. Ajouter le sucre et remuer jusqu'à ce qu'il soit dissous. Laisser bouillir, en remuant constamment, jusqu'à consistance de confiture. Retirer du feu et écumer.
4. Verser dans des bocaux stérilisés et chauds, et sceller immédiatement.

Confiture de pêches et de cantaloup
(3 à 4 bocaux de huit onces)

2 tasses de pêches coupées en dés (4 pêches moyennes)
2 tasses de cantaloup coupé en dés (1 petit cantaloup)
Jus et zeste râpé de 2 citrons
3 tasses de sucre

1. Laver les pêches, les blanchir, les peler, les dénoyauter et les couper en dés.
2. Peler le cantaloup, retirer les graines intérieures, et le couper en dés.
3. Mélanger tous les ingrédients dans une grande marmite. Amener à ébullition et laisser bouillir, à découvert, en remuant de temps en temps, jusqu'à consistance de confiture. Retirer du feu et écumer.
4. Verser dans des bocaux stérilisés et chauds, et sceller immédiatement.

Confiture de prunes et de pêches
(9 bocaux de huit onces)

5 tasses de prunes rouges (environ 3 livres)
4 tasses de pêches (environ 3 livres)
8 tasses de sucre
80 1 citron épépiné, coupé en tranches minces

1. Trier, laver, égoutter les fruits. Dénoyauter les prunes. Blanchir les pêches, les peler et les dénoyauter.
2. Mélanger tous les ingrédients dans une grande marmite. Amener, à feu vif, à une rapide ébullition, puis laisser bouillir, en remuant constamment, jusqu'à ce que le mélange épaississe et ait la consistance de confiture. Retirer du feu et écumer.
3. Verser dans des bocaux stérilisés et chauds, et sceller immédiatement. Stériliser durant 20 minutes dans un bain d'eau bouillante.

Confiture de fraises
(3 à 4 bocaux de huit onces)

4 tasses de fraises tranchées (environ 3 chopines)
½ citron tranché mince
4 tasses de sucre

1. Laver les fraises, les équeuter et les trancher. Laver et trancher le citron, retirer les pépins.
2. Mettre les fruits et le sucre dans une grande marmite et chauffer, à feu doux, à découvert, jusqu'à ce que le sucre soit dissous. Augmenter le feu et amener à ébullition. Laisser bouillir rapidement jusqu'à consistance de confiture. Retirer du feu et écumer.
3. Laisser reposer une minute et verser dans des bocaux stérilisés et chauds. Sceller immédiatement.

Confiture de pêches
(6 ou 7 bocaux de huit onces)

6 tasses de pêches tranchées (12 pêches moyennes)
3 tasses de sucre
1 c. à table de jus de citron

1. Laver les pêches, les blanchir, les peler, les dénoyauter et les trancher.

2. Mélanger tous les ingrédients et laisser reposer, à découvert, durant 1 heure. Les mettre dans une grande marmite et faire mijoter, en remuant constamment, jusqu'à ce que le sucre soit dissous. Amener à ébullition et laisser bouillir rapidement jusqu'à consistance de confiture. Retirer du feu et écumer.
3. Verser dans des bocaux stérilisés et chauds, et sceller immédiatement.

Confiture de cerises
(9 bocaux de huit onces)

4½ tasses de cerises sures (environ 3 livres ou 2 boîtes d'une pinte)
7 tasses de sucre
1 bouteille (6 onces) de pectine liquide
3 c. à thé d'extrait d'amande (facultatif)

1. Trier les cerises, les laver, les égoutter et retirer les tiges. Les passer au hachoir.
2. Mesurer 4½ tasses de cerises et les mettre dans une grande marmite. Ajouter le sucre et bien mélanger. Amener à une rapide ébullition, à feu vif, en remuant constamment. Laisser bouillir jusqu'à consistance de confiture. Ajouter la pectine et amener de nouveau à une complète ébullition et bouillir 1 minute. Retirer du feu, ajouter l'extrait d'amandes et écumer.
3. Verser dans des bocaux stérilisés, et sceller immédiatement.

Conserve de fraises
(4 bocaux de huit onces)

1 pinte de fraises
1 tasse d'eau
82   4 tasses de sucre

1. Trier les fraises, les laver et les équeuter.
2. Mettre l'eau dans une grande casserole et l'amener à ébullition. Ajouter graduellement le sucre et remuer jusqu'à ce que le sirop épaississe.
3. Ajouter les fraises et laisser bouillir rapidement, à découvert, durant 9 minutes. Ne pas remuer les fruits, mais agiter la marmite durant l'ébullition.
4. À l'aide d'une louche, verser la confiture dans une casserole peu profonde et écumer. Remuer les fruits de temps en temps jusqu'à ce qu'ils soient refroidis.
5. Verser dans des bocaux stérilisés et chauds, et sceller immédiatement.

Conserve de fraises et de citron
(6 bocaux de huit onces)

6 tasses de fraises pas trop mûres (environ 1½ pinte)
6 tasses de sucre
½ tasse de jus de citron

1. Trier les fraises, les laver et les équeuter. Les mettre dans une grande marmite et couvrir avec le sucre. Laisser reposer, couvert, à la température de la pièce, durant 3 ou 4 heures, ou jusqu'à ce qu'une grande quantité de sucre soit transformée en sirop. Amener lentement à ébullition, à feu modéré et en remuant délicatement de temps à autre. Faire ensuite bouillir rapidement, à découvert, durant 10 minutes. Ajouter le jus de citron et poursuivre la cuisson 2 minutes de plus. Le sirop doit être moyennement épais, mais encore coulant. Ne pas surcuire.
2. À l'aide d'une louche, verser dans des bocaux chauds et stérilisés, et sceller immédiatement.

Conserve de cerises
(4 bocaux de huit onces)

1 pinte de cerises sures dénoyautées (environ 1¾ livre)
4 tasses de sucre
½ tasse de sirop de maïs pâle

1. Mettre les cerises dans une marmite et les couvrir avec le sucre ; bien mélanger.
2. Ajouter le sirop de maïs et amener à ébullition. Laisser bouillir, à découvert, durant 15 minutes, en remuant la casserole de temps en temps.
3. Verser le mélange de cerises dans une casserole peu profonde et laisser reposer, couvert, à la température de la pièce, durant 24 heures, en remuant de temps en temps.
4. Verser dans des bocaux propres et chauds, et sceller immédiatement. Stériliser durant 20 minutes dans un bain d'eau bouillante.

Conserve de tomates jaunes
(4 bocaux de huit onces)

2 pintes de petites tomates jaunes (environ 3 livres)
3 tasses de sucre
1 c. à thé de sel
1 citron épépiné et coupé en tranches minces
¼ tasse de gingembre confit tranché mince

1. Laver et essuyer les tomates. Enlever délicatement tout l'ombilic et presser légèrement les tomates afin d'en extraire les graines, sans toutefois briser les fruits qui doivent demeurer entiers.
2. Mélanger les tomates, le sucre et le sel dans une marmite. Faire mijoter lentement jusqu'à ce que le sucre soit dissous. Amener lentement à ébullition, en remuant constamment. Laisser bouillir doucement, à découvert, durant 40 minutes, jusqu'à ce que le sirop épaississe.

Ajouter les tranches de citron et le gingembre et poursuivre l'ébullition durant 10 minutes, en remuant souvent. Retirer du feu.

3. À l'aide d'une louche, mettre dans des bocaux stérilisés et chauds, et sceller immédiatement.

Conserve de pêches caramel
(6 ou 7 bocaux de huit onces)

8 tasses de pêches pas trop mûres, pelées, tranchées (environ 6 livres)
3 noyaux de pêche
⅓ tasse de jus d'orange
1 livre de sucre brun pâle
4 tasses de sucre granulé

1. Blanchir les pêches, les peler et les trancher. Les mesurer et les mettre dans une grande casserole avec les noyaux et le jus d'orange. Couvrir et cuire, à feu doux, durant 10 minutes. Ajouter le sucre brun et le sucre granulé. Amener lentement à ébullition, en remuant constamment. Cuire à feu modéré, en remuant fréquemment, jusqu'à ce que le sirop épaississe et que les pêches soient transparentes. Retirer du feu et enlever les noyaux.
2. À l'aide d'une louche, mettre dans des bocaux stérilisés et chauds, et sceller immédiatement.

Conserve de fraises
(8 bocaux de huit onces)

3 chopines de fraises
2 tasses d'ananas frais haché (1 ananas moyen)
2 c. à table de jus de citron
1 tasse de raisin sans pépins
1 orange
8 tasses de sucre

1. Trier les fraises, les laver, les équeuter et les écraser légèrement.
2. Peler l'ananas, retirer tous les yeux, le passer au hachoir en utilisant le couteau le plus fin. Ajouter le jus de citron.
3. Passer le raisin au hachoir. Couper l'orange en sections, retirer les pépins, et passer au hachoir.
4. Mélanger tous les fruits hachés et en mesurer 8 tasses. Mettre dans une grande casserole avec le sucre et cuire, à découvert, à feu modéré, jusqu'à ce que le mélange soit très épais ; remuer souvent durant la cuisson.
5. Verser dans les bocaux stérilisés et chauds, et sceller immédiatement.

Conserve de raisin
(7 verres de huit onces)

---

4 tasses de raisin bleu, sans pépins, coupé en deux (environ 1¾ livre)
4 tasses de raisin vert, sans pépins, coupé en deux (environ 1¾ livre)
1 gros citron épépiné et tranché mince
½ tasse d'eau
6 tasses de sucre
1 tasse de noix hachées grossièrement (environ ¼ livre en écale)

---

1. Mettre le raisin, les tranches de citron et l'eau dans une grande marmite. Amener lentement à ébullition ; réduire le feu et laisser mijoter, couvert, durant 20 minutes. Ajouter le sucre et remuer, à feu modéré, jusqu'à consistance de gelée. Ajouter les noix. Retirer du feu et écumer.
2. À l'aide d'une louche, verser dans les verres à gelée stérilisés et chauds, et sceller immédiatement.

Conserve de canneberges et noix du Brésil
(6 bocaux de huit onces)

4 tasses de canneberges (1 livre)
1 tasse d'eau
2½ tasses de sucre
1 tasse de raisin sans pépins
⅓ tasse de jus d'orange
Zeste râpé de 1 gros citron
1 tasse de noix du Brésil hachées (⅓ livre en écale)

1. Mettre les canneberges et l'eau dans une grande marmite et faire bouillir doucement, à découvert, jusqu'à ce qu'elles soient tendres. Passer au tamis afin d'enlever les grains et les pelures. Remettre dans la casserole et ajouter le sucre, les raisins, le jus d'orange et le zeste de citron. Faire mijoter, à feu doux, en remuant constamment, environ 15 minutes. Incorporer les noix et retirer du feu.
2. À l'aide d'une louche, verser dans des bocaux stérilisés et chauds, et sceller immédiatement.

Conserve de prunes Damson
(8 bocaux de huit onces)

3 livres de prunes Damson, hachées
1 orange pelée et tranchée
1 citron pelé et tranché
½ tasse d'eau
3 tasses de sucre
1 livre de raisin sans pépins
1 tasse de pacanes hachées grossièrement (environ 1 livre en écale)

1. Mettre les prunes, les tranches d'orange et de citron et l'eau dans une grande marmite et amener à ébullition. Réduire le feu et laisser mijoter, couvert, durant 20

minutes. Ajouter le sucre et le raisin. Remuer, à feu modéré, jusqu'à ce que le sucre soit dissous. Faire ensuite bouillir rapidement, à découvert, jusqu'à bonne consistance. Ajouter les pacanes. Retirer du feu et écumer.

2. À l'aide d'une louche, mettre dans des bocaux stérilisés et chauds. Sceller immédiatement.

Conserve de pêches et de pamplemousse
(7 à 8 bocaux de huit onces)

8 tasses de pêches coupées en dés (environ 6 livres)
3 pamplemousses moyens
Zeste râpé d'une orange
6 tasses de sucre
1 c. à table de jus de citron
1 tasse d'amandes hachées, blanchies (environ ¼ livre en écale)

1. Peler les pêches, les couper en dés et en mesurer 8 tasses.
2. Peler les pamplemousses, les sectionner et les couper en petits morceaux de la même grosseur que les pêches.
3. Mettre les fruits dans une grande casserole. Ajouter le zeste d'orange, le sucre et le jus de citron. Amener à ébullition, puis laisser bouillir, en remuant fréquemment, jusqu'à ce que le mélange épaississe. Ajouter les amandes.
4. À l'aide d'une louche, verser dans des bocaux stérilisés et chauds. Sceller immédiatement.

Conserve de tomates et pommes
(8 verres de huit onces)

---

2 citrons, tranchés minces et pépins enlevés
6 livres de tomates mûres
3 livres de pommes à tarte
5 tasses de sucre
1 tasse de raisins sans pépins
½ c. à thé de sel
¼ tasse de gingembre confit
1 tasse de noix hachées grossièrement (environ ¼ livre en écale)

---

1. Placer les tranches de citron dans une petite casserole et couvrir avec de l'eau froide. Amener à ébullition, puis laisser bouillir jusqu'à ce que l'écorce soit très tendre. Égoutter.
2. Mesurer 1 tasse de liquide de cuisson et le mettre dans une grande marmite avec l'écorce.
3. Laver les pommes, les peler et retirer le cœur. Les couper en cubes de ¾ pouce et les mettre dans la marmite. Ajouter le sucre, le raisin et le sel. Cuire, en remuant, à feu modéré, jusqu'à ce que le sucre soit dissous. Laisser mijoter, en remuant fréquemment, jusqu'à ce que le mélange épaississe et que les fruits soient transparents. Ajouter le gingembre et les noix.
4. Retirer du feu et, à l'aide d'une louche, verser dans des bocaux stérilisés et chauds, et sceller immédiatement.

Méthode générale pour la préparation des marmelades

Lavez les fruits et tranchez-les très minces. Enlevez les pépins. Mesurez les fruits et, pour chaque tasse de fruits, ajoutez 1½ tasse d'eau. Couvrez et laissez reposer durant toute la nuit. Le lendemain matin, mesurez les fruits et leur liquide. Pour chaque tasse recueillie, mesurez ¾ tasse de sucre et laissez en attente. Placez les fruits et leur liquide 89 dans une marmite et faites bouillir, à découvert, durant 20 minutes. Ajoutez le sucre et remuez jusqu'à ce qu'il soit dissous. Faites bouillir, à découvert, jusqu'à bonne consistance. Retirez du feu et laissez refroidir légèrement. Remuez pour répartir les fruits. Versez dans des verres chauds et stérilisés, et scellez immédiatement.

Suggestions de mélanges de fruits pour les marmelades :
2 oranges et 1 citron
4 pamplemousses, 1 citron, 1 orange amère
4 oranges amères, 8 oranges sucrées, 2 citrons
1 pamplemousse, 1 orange, 1 citron
4 limes et 2 citrons
2 ananas et 3 citrons

NOTA : Les meilleures oranges à utiliser dans les marmelades sont les oranges amères de Séville, qui jusqu'à récemment étaient cultivées seulement en Espagne. Elles sont maintenant disponibles dans la plupart des supermarchés canadiens.

Marmelade écossaise
(environ 20 chopines)

---

8 livres d'oranges de Séville
4 citrons
12 pintes (48 tasses) d'eau
18 livres de sucre

---

1. Râper l'écorce des oranges et des citrons et laisser en attente.
2. Presser les fruits pour en extraire le jus et filtrer ce dernier dans une grande marmite.
3. Placer les pépins et la pulpe des fruits dans un coton-fromage et attacher sans serrer et l'ajouter au jus dans la marmite, avec l'écorce râpée et l'eau. Amener le tout à ébullition et laisser bouillir lentement, à découvert, durant 2 ou 3 heures, ou jusqu'à ce que le liquide soit réduit du tiers. Retirer le sac de coton-fromage et le presser pour l'égoutter. Ajouter le sucre et remuer jusqu'à ce qu'il soit

dissous. Amener à ébullition, puis laisser bouillir fortement en remuant fréquemment, durant 30 minutes. Poursuivre l'ébullition jusqu'à ce que le mélange soit épais et ait la consistance de marmelade. Retirer du feu et écumer. Laisser reposer 10 minutes.

4. À l'aide d'une louche, verser dans des bocaux stérilisés et chauds, et sceller immédiatement.

Marmelade de tomates
(8 ou 9 bocaux de huit onces)

---

3 oranges
2 citrons
3 pintes de tomates mûres, pelées et tranchées
6 tasses de sucre
1 c. à thé de sel
6 bâtons de cannelle
1 c. à table de clous de girofle entiers
6 quatre-épices entiers

---

1. Peler les oranges et les citrons avec un couteau à légumes. Couper l'écorce en minces lamelles et les mettre dans une casserole ; couvrir avec de l'eau froide et amener à ébullition. Égoutter, couvrir de nouveau avec de l'eau froide et amener à ébullition. Laisser mijoter, couvert, durant 15 minutes ou jusqu'à ce que l'écorce soit tendre. Égoutter et mettre de côté.

2. Mettre la chair des oranges et des citrons à vif et la couper en petits morceaux, retirer les pépins. Mettre dans une grande marmite avec l'écorce égouttée, les tomates, le sucre et le sel et les épices enveloppées dans un coton-fromage. Amener lentement à ébullition, en remuant jusqu'à ce que le sucre soit dissous. Laisser bouillir doucement, en remuant constamment, durant 1 heure ou jusqu'à ce que le mélange épaississe et ait la consistance de marmelade. Retirer du feu et enlever le sac d'épices.

3. À l'aide d'une louche, mettre dans des bocaux stérilisés et chauds. Sceller immédiatement.

Marmelade de rhubarbe
(3 ou 4 bocaux de huit onces)

3 tasses de rhubarbe coupée en dés (environ 1 livre)
2 tasses de fraises (environ ⅔ livre)
Jus de zeste râpé de 1 orange
2½ tasses de sucre

1. Laver la rhubarbe et la couper en dés. Trier les fraises, les laver et les équeuter. Mélanger les fruits dans une grande marmite avec le jus et le zeste d'orange. Couvrir et laisser reposer ainsi durant 1 heure, dans un endroit frais. Ajouter le sucre et bien mêler, puis amener à ébullition, à feu vif. Laisser bouillir, en remuant fréquemment, jusqu'à consistance de marmelade. Retirer du feu et écumer.
2. Verser dans des bocaux stérilisés et chauds, et sceller immédiatement.

Marmelade d'ananas
(3 ou 4 bocaux de huit onces)

1 ananas
3 tasses de sucre
Jus et zeste râpé de 3 citrons

1. Peler l'ananas et le couper en petits morceaux. Mettre dans une grande marmite avec le sucre, le jus et le zeste de citron. Amener à ébullition. Réduire le feu et laisser mijoter, en remuant fréquemment, jusqu'à ce que le mélange épaississe et ait une bonne consistance. Retirer du feu et écumer.
2. Verser dans des bocaux stérilisés et chauds, et sceller immédiatement.

Marmelade de pommes
(6 bocaux de huit onces)

8 tasses de pommes à tarte, tranchées minces (environ 3
      livres)
1 orange
5 tasses de sucre
1½ tasse d'eau
2 c. à table de jus de citron

1. Laver les pommes, enlever la tige et l'ombilic ; couper les pommes en quartiers et enlever le cœur. Couper les pommes en tranches minces.
2. Laver l'orange, la couper en tranches minces et retirer les pépins.
3. Mettre le sucre dans une grande casserole avec l'eau et chauffer jusqu'à ce qu'il soit dissous. Ajouter le jus de citron et amener à ébullition. Ajouter les tranches de pommes et d'orange et faire bouillir, à feu vif, en remuant constamment, jusqu'à ce que le mélange épaississe et ait la consistance de marmelade. Retirer du feu et écumer.
4. Verser dans les bocaux stérilisés et chauds, et sceller immédiatement.

Marmelade de poires au gingembre

1 citron
1 orange
1 tasse d'eau
2 livres de poires
3 tasses de sucre
1 once de gingembre confit, coupé en fines lamelles

1. Presser le citron et l'orange pour en extraire le jus et laisser en attente. Détacher la pulpe de l'écorce de citron et de l'orange et la jeter. Couper l'écorce en fines lamelles et mettre dans une casserole avec l'eau. Faire mijoter,   93

couvert, durant 20 minutes. Égoutter et hacher finement.
2. Laver les poires, les peler et enlever le cœur. Couper les poires en petits morceaux et mettre dans une grande marmite avec le jus de citron et d'orange et l'écorce hachée et faire mijoter, jusqu'à tendre, environ 10 minutes. Ajouter le sucre et le gingembre. Amener à ébullition en remuant pour dissoudre le sucre. Faire bouillir, en remuant constamment, jusqu'à ce que le mélange soit épais et transparent. Retirer du feu et écumer.
3. Verser dans des verres chauds et stérilisés, et sceller immédiatement.

Marmelade de pêches et d'oranges
(6 bocaux de huit onces)

5 tasses de pêches hachées finement (environ 4 livres)
1 tasse d'oranges hachées finement (2 oranges)
Zeste râpé d'une orange
2 c. à table de jus de citron
6 tasses de sucre
2 tasses de cerises au marasquin hachées (facultatif)

1. Trier les pêches, les laver, les peler et les dénoyauter.
2. Laver deux oranges, les peler et retirer les pépins.
3. Passer la chair des pêches et des oranges dans un hachoir en utilisant le couteau le plus gros.
4. Râper le zeste des trois oranges.
5. Mesurer 5 tasses de chair de pêches et 1 tasse de chair d'oranges et mettre dans une grande marmite avec tous les ingrédients, sauf les cerises et bien mélanger. Amener à ébullition, puis laisser bouillir, à feu vif, en remuant constamment, jusqu'à ce que le mélange épaississe et ait la consistance de marmelade. Ajouter les cerises, si désiré. Retirer du feu et écumer.
6. Verser dans des bocaux stérilisés et chauds, et sceller immédiatement.

Marmelade de kumquat
(8 verres de huit onces)

---

24 kumquats
2 oranges
Sucre (environ 9 tasses)
Jus de 2 citrons

Trier les kumquats, les laver, puis les trancher très minces. Laver les oranges et enlever les pépins ; hacher la pulpe et le zeste. Mélanger les fruits et les mesurer. Les mettre dans une casserole, et ajouter 3 tasses d'eau pour chaque tasse de fruits. Laisser reposer dans un endroit frais durant 12 heures ou toute la nuit. Amener à complète ébullition, couvrir, réduire le feu et laissez mijoter jusqu'à tendreté. Mesurer les fruits cuits. Ajouter 1 tasse de sucre pour chaque tasse de fruits. Ajouter le jus de citron. Amener de nouveau à ébullition, puis laisser bouillir, en remuant de temps en temps, jusqu'à consistance épaisse. Retirer du feu et écumer. Verser chaud dans des verres chauds et stérilisés, et sceller immédiatement.

Marmelade de limes
(7 à 8 bocaux de huit onces)

---

4 tasses de limes tranchées (10 à 12 limes moyennes)
6 tasses d'eau froide
Sucre

---

1. Couper les limes en tranches très minces, en rejetant les premières tranches des deux extrémités. Couper les tranches de limes en quatre. Mesurer et mettre dans une grande marmite émaillée. Couvrir avec l'eau et laisser reposer, couvert, durant 12 à 18 heures, à la température de la pièce.
2. Cuire, à feu modéré, couvert, durant 20 à 25 minutes, ou jusqu'à ce que l'écorce soit très tendre. Retirer du feu et

mesurer. Pour chaque tasse de lime cuite, ajouter une tasse de sucre. Remettre le mélange dans la marmite et remuer, à feu modéré, jusqu'à ce que le sucre soit dissous. Faire bouillir rapidement, en remuant fréquemment, jusqu'à ce que la marmelade ait une bonne consistance. Retirer du feu et écumer.

3. À l'aide d'une louche, verser dans des bocaux stérilisés et chauds, et sceller immédiatement.

Marmelade ambrée
(6 verres de huit onces)

---

1 pamplemousse
2 oranges
1 citron
Sucre (environ 7 tasses)

---

1. Laver les fruits et les couper en tranches très minces, en enlevant les pépins et les premières tranches des deux extrémités.

2. Couper les tranches de pamplemousse en quatre et les tranches d'oranges et de citron en deux. Mesurer les fruits et les mettre dans une grande marmite. Ajouter 1 tasse d'eau pour chaque tasse de fruits. Couvrir et laisser reposer dans un endroit frais, durant 12 heures ou toute la nuit.

3. Amener ensuite à ébullition, puis laisser bouillir, en remuant fréquemment, jusqu'à ce que la pelure soit tendre.

4. Mesurer les fruits et leur liquide de cuisson. Ajouter 1 tasse de sucre pour chaque tasse de ce mélange. Remuer pour dissoudre le sucre. Amener de nouveau à ébullition, puis laisser bouillir, en remuant fréquemment, jusqu'à consistance de marmelade.

5. Verser dans des bocaux stérilisés et chauds, et sceller immédiatement.

Beurre de pommes
(7 à 8 verres de huit onces)

4 livres de pommes à cuire.
2 tasses de cidre ou d'eau
Sucre
3 c. à thé de cannelle moulue
1½ c. à thé de clou de girofle moulu
½ c. à thé de quatre-épices moulu

1. Laver les pommes et les couper en quartiers ; ne pas les peler, ni enlever les cœurs.
2. Mettre les pommes dans une grande marmite avec le cidre ou l'eau. Couvrir et faire bouillir doucement jusqu'à ce qu'elles soient tendres.
3. Passer au tamis pour enlever les graines et les pelures. Mesurer la chair des pommes. Pour chaque tasse de chair, ajouter ½ tasse de sucre. Remettre dans la marmite avec les épices et faire mijoter, en remuant constamment, jusqu'à ce que le mélange soit très épais et ait une bonne consistance.
4. Retirer du feu et verser dans des bocaux stérilisés et chauds. Sceller immédiatement.

Beurre d'abricots
(5 verres de huit onces)

2½ livres d'abricots frais
1 tasse de jus d'orange
Sucre
¾ c. à thé de muscade
1 c. à thé de cannelle

1. Laver les abricots, les dénoyauter et les réduire en purée.
2. Mettre cette purée dans une grande marmite avec le jus d'orange. Couvrir et cuire jusqu'à tendreté. Passer au tamis pour retirer la pelure.

97

3. Mesurer la purée. Pour chaque tasse de purée, ajouter ¾ tasse de sucre. Ajouter les épices. Faire bouillir doucement, à feu modéré, en remuant constamment, jusqu'à épaississement.
4. Retirer du feu et verser dans des bocaux stérilisés et chauds. Sceller immédiatement.

Beurre de pommes au porto
(6 verres de huit onces)

1 bouteille (4/5 d'une pinte) de porto
4 tasses d'eau
8 grosses pommes Délicieuses dorées
1½ tasse de sucre
¼ c. à thé de sel
½ c. à thé de cannelle moulue
1 bâton entier de cannelle

1. Mettre le porto et l'eau dans une grande marmite et amener à ébullition, à feu vif.
2. Peler les pommes et les couper en tranches minces. Ceci donnera environ 8 tasses.
3. Ajouter les pommes tranchées au mélange de vin et faire mijoter, à découvert, durant 45 minutes, en remuant de temps en temps.
4. Ajouter le sucre, le sel et la cannelle. Cuire, à feu moyen, en remuant fréquemment, jusqu'à ce que le mélange ait la consistance d'une compote de pommes chaude, environ 20 à 25 minutes.
5. Retirer du feu, enlever le bâton de cannelle et verser dans des bocaux stérilisés et chauds. Sceller immédiatement.

Beurre d'octobre
(5 verres de huit onces)

8 pommes à cuire, moyennes
98 2 grosses poires d'Anjou, fermes

3 tasses de jus d'orange
2 bâtons de cannelle
2 tasses de purée de bananes (3 ou 4 bananes moyennes)
2 c. à table de jus de citron
Sucre

---

1. Laver les pommes et les poires ; les couper en petits morceaux, sans les peler ni en enlever le cœur.
2. Les mettre dans une grande casserole avec le jus d'orange et les bâtons de cannelle. Couvrir et cuire, à feu modéré, jusqu'à ce que les fruits soient tendres, environ 45 minutes à 1 heure.
3. Retirer les bâtons de cannelle et passer le mélange au tamis en enlevant les pelures et les pépins.
4. Remettre le mélange pommes-poires dans la casserole avec la purée de bananes et le jus de citron. Faire bouillir doucement jusqu'à ce que le mélange épaississe suffisamment pour napper légèrement la cuillère. Remuer fréquemment durant la cuisson.
5. Mesurer le mélange de fruits épaissi et remettre dans la casserole. Y ajouter la moitié autant de sucre qu'il y a de purée de fruits (e.g. 3 tasses de sucre pour 6 tasses de purée de fruits). Faire bouillir doucement, en remuant fréquemment, jusqu'à épaississement, environ 20 à 25 minutes. Retirer du feu et verser dans des bocaux chauds et stérilisés. Sceller immédiatement.

Beurre de tomates
(4 verres de huit onces)

---

4 livres de tomates mûres
2½ tasses de sucre brun, pâle, bien tassé
1½ c. à thé de cannelle
1¼ c. à thé de clou de girofle moulu
¼ c. à thé de quatre-épices
Pincée de sel

1. Blanchir les tomates, les peler, les couper en quartiers, puis les mettre dans une grande marmite. Couvrir et faire mijoter, en remuant de temps en temps, jusqu'à ce qu'elles soient tendres et défaites.
2. Mesurer 6 tasses de tomates. Remettre dans la marmite avec le reste des ingrédients. Amener à ébullition, à feu doux, puis laisser mijoter, à découvert, en remuant souvent, jusqu'à épaississement, durant environ 45 minutes.
3. Retirer du feu et mettre dans des bocaux stérilisés et chauds. Sceller immédiatement.

6. Gelée

Les gelées proviennent de la cuisson des fruits* et de l'extraction de leur jus. Il suffit de placer les fruits cuits dans un sac à gelée afin de permettre au jus de s'égoutter dans un bol. Sa teneur en pectine vérifiée, ce jus est ensuite bouilli avec le sucre jusqu'à ce qu'il ait la consistance de gelée. On le verse ensuite dans des verres à gelée chauds et stérilisés, puis scellés.

*Lisez les pages 71 à 75 concernant l'acide, le sucre, la pectine, la teneur en pectine et en acide des fruits, les verres à gelée, le scellage des bocaux et la paraffine pour les confitures, les conserves, les marmelades et les beurres.

Fruits pour gelée

La sorte de fruits à utiliser pour faire la gelée est d'une importance primordiale. Il faut choisir des fruits ou des mélanges de fruits ayant une bonne quantité de pectine et d'acide, sinon il faudra y ajouter de la pectine commerciale. Les gelées, particulièrement simples à préparer, sont à base des fruits suivants : petites groseilles, pommes acides, groseilles à maquereau, prunes, raisins, pommettes, canneberges et coings.

Cuisson des fruits

Lavez les fruits parfaitement. Quant aux baies, écrasez-les légèrement pour en faire sortir le plus de jus.

Ne pelez pas les fruits, n'enlevez pas le cœur ni les pépins, à moins que la recette ne l'indique. Aux baies, telles que les gadelles, contenant déjà une quantité substantielle de jus, on n'ajoute qu'une très petite quantité d'eau avant la cuisson. Les pommes, les coings et les pommettes ne contiennent pas tout à fait autant de jus que les baies ; il faut donc leur ajouter un peu plus d'eau pour en extraire le jus. De toute façon, ajoutez seulement la quantité d'eau suffisante pour empêcher les fruits de brûler, car une trop grande quantité d'eau diminuera leur teneur de pectine naturelle. Le temps de cuisson diffère selon les fruits. Les fruits juteux requièrent aussi peu que 5 à 10 minutes, tandis que les fruits plus fermes demandent jusqu'à 30 minutes.

Extraction du jus dans un sac à gelée

Pour extraire le jus des fruits, on utilise un sac à gelée humide ou plusieurs rangs de coton-fromage humide. Suspendez le sac à gelée au-dessus d'un grand bol, ou tapissez une passoire avec du coton-fromage et placez-la dans un grand bol, en laissant les coins du coton-fromage s'étendre sur les côtés de la passoire. Versez les fruits et leur jus dans ce linge et attachez les quatre coins ensemble. Laissez le jus s'égoutter dans le bol. Il faudra plusieurs heures avant que tout le jus soit passé. Résistez à la tentation d'activer l'extraction en pressant le sac. Vous obtiendriez alors une gelée trouble.

Préparation des bocaux

Pendant que le jus de fruit s'égoutte, préparez les bocaux ou les verres à gelée. Vérifiez-les pour y déceler tout défaut, puis lavez-les dans une eau chaude savonneuse. Stérilisez-les durant 20 minutes à l'eau bouillante. Faites bouillir les couvercles durant 5 minutes. Puis laissez les bocaux et les couvercles dans l'eau chaude jusqu'au moment du remplissage.

Essai de pectine

On vérifie la teneur en pectine du jus extrait des fruits en mélangeant 1 cuillerée à table de jus de fruits avec 1 cuillerée à table d'alcool de grain (non poison et dénaturé). Le jus contenant une grande quantité de pectine formera un gros caillot ; celui qui en contient une quantité moyenne formera deux ou trois plus petits caillots et celui ne contenant que très peu de pectine formera plusieurs petits caillots. (Voyez l'illustration de la page 103. Si la quantité de pectine n'est pas très élevée, on peut faire bouillir le jus ; l'évaporation du surplus d'eau nous permet ainsi d'obtenir un meilleur concentré. On peut également obtenir une meilleure consistance si l'on ajoute de la pectine commerciale. Dans ce dernier cas, toutefois, suivez bien le mode d'emploi indiqué.

Cuisson de la gelée

On doit toujours préparer la gelée en petites quantités à la fois, habituellement pas plus de 8 tasses de jus. Mesurez le jus, amenez-le à ébullition, ajoutez le sucre et remuez jusqu'à ce qu'il soit dissous. Amenez de nouveau à ébullition et faites bouillir rapidement, à découvert, jusqu'à consistance de gelée.

Pour faire bouillir le jus de fruit et le sucre, à découvert, il faut une grande marmite épaisse. Le jus pourra y bouillir fortement, sans déborder. Une marmite à large bord facilite une meilleure évaporation, plus rapidement, et permet à la gelée de devenir consistante.

Consistance de gelée

La manière habituelle de déterminer la bonne consistance de la gelée est de faire le test de la « cuillère ». Plongez une cuillère de métal dans la gelée bouillante, retirez-la et tenez-la au-dessus de la marmite. Le point de gelée est atteint lorsque les deux dernières gouttes sur la cuillère se joignent pour former une mince nappe, puis s'égouttent très lentement ; ou lorsqu'elles collent à la cuillère en une mince nappe ; ou encore lorsqu'elles coulent ensemble. Écumez soigneusement, puis versez la gelée chaude dans des verres chauds et stérilisés.

Test de la température
 Bien que beaucoup de ménagères aiment utiliser un thermomètre lorsqu'elles préparent de la gelée, nous ne connaissons pas de test réellement précis indiquant le point de gelée exact par la température. Cependant, lorsque le thermomètre indique environ 220F (105C), le point de gelée (pour toutes les gelées à base de sucre) est atteint. Pour de meilleurs résultats, faites le test de la cuillère ou calculez 8F (4C) au-dessus de la température de l'eau bouillante dans votre région.

Le remplissage des bocaux
 Retirez un à un les bocaux ou les verres à gelée de l'eau, au fur et à mesure que vous en avez besoin. Remplissez-les en laissant un espace de tête de ½ pouce. Scellez-les immédiatement si vous utilisez des couvercles de métal et des bandes de vissage. Laissez refroidir légèrement la gelée avant de la paraffiner.

Méthode générale pour faire la gelée
1. Lisez entièrement la recette et assurez-vous d'avoir sous la main tous les ingrédients nécessaires.
2. Choisissez les fruits de manière à ce qu'une moitié soit mûre et l'autre moitié, pas tout à fait mûre. N'utilisez jamais des fruits trop mûrs.
3. Lavez parfaitement les fruits et enlevez les parties meurtries ou avariées.
4. Préparez et cuisez les fruits selon la recette.
5. Versez les fruits chauds dans un sac à gelée humide ou dans plusieurs épaisseurs de coton-fromage.
6. Suspendez le sac au-dessus d'un bol et laissez égoutter. Ne le pressez pas, cela vous donnera une gelée trouble.
7. Préparez les verres à gelée. Vérifiez les fissures, les écorchures, les égratignures. Lavez les verres dans une eau chaude savonneuse. Stérilisez-les durant 20 minutes dans l'eau bouillante. Faites bouillir les couvercles durant cinq minutes. Laissez les verres et les couvercles dans l'eau jusqu'au moment du remplissage.

8. Mesurez le jus extrait des fruits. (Environ 8 tasses de jus constituent une bonne quantité pour chaque préparation de gelée.)
9. Amenez le jus à ébullition et faites l'essai de pectine.
10. Ajoutez le sucre et remuez jusqu'à ce qu'il soit dissous.
11. Amenez à ébullition et laissez bouillir rapidement environ 10 minutes ou jusqu'à consistance de gelée.
12. Retirez du feu et écumez.
13. Versez dans les verres à gelée chauds et stérilisés.
14. Laissez refroidir légèrement et paraffinez, ou scellez immédiatement avec des couvercles de métal.
15. Couvrez avec le couvercle protecteur en métal.
16. Étiquetez en indiquant le contenu et la date.
17. Remisez dans un endroit frais et sec.

Tableau pour gelée

Les jus ou les combinaisons de jus suggérés dans le tableau suivant vous permettront de préparer de succulentes gelées. Dans la première colonne, ou figurent les combinaisons de jus, les fractions indiquent les proportions recommandées d'un jus à un autre.

Jus de fruits et combinaisons	Quantité de sucre pour une tasse de jus
Pommes	⅔ à ¾ tasse
Bleuets ou mûres	¾ à 1 tasse
Pommettes	⅔ à ¾ tasse
Canneberges	1 tasse
Petites groseilles	¾ à 1 tasse
Groseilles à maquereau	¾ tasse
Raisins	¾ à 1 tasse
Mûres ¼, pommes ¾	⅔ tasse
Framboises noires ½, pommes ½	⅔ tasse
Framboises noires ⅔, petites groseilles ⅓	¾ tasse
Cerises ½, pommes ½	⅔ tasse
Groseilles à maquereau ¾, petites groseilles ¼	1 tasse
Pêches ½, pommes ½	⅔ tasse
Prunes ¼, pommettes ¾	1 tasse
Coings ⅓, canneberges ⅓, pommes ⅓	¾ tasse
Coings ½, pommes ½	⅔ tasse
Framboises ⅓, petites groseilles ⅔	1 tasse
Rhubarbe ½, pommes ½	⅔ tasse

Gelée de raisins
(8 à 9 verres de huit onces)

---

4 tasses de jus de raisins (environ 3½ livres de raisins
    Concord, bien mûrs)
½ tasse d'eau
7 tasses de sucre
½ bouteille (3 onces) de pectine liquide

---

1. Trier et laver les raisins, retirer les tiges.
2. Écraser les raisins et les mettre dans une grande marmite
   avec l'eau. Couvrir et amener à ébullition, sur un feu vif.
   Réduire le feu et laisser mijoter durant 10 minutes.
3. Retirer du feu et extraire le jus. Le laisser reposer toute la
   nuit, dans un endroit frais ; ça évitera la formation de cristaux de tartrate dans la gelée.
4. Le lendemain, couler parfaitement le jus dans une double
   épaisseur de coton-fromage. Ça vous donnera environ 4
   tasses.
5. Mettre le jus dans la marmite avec le sucre. Mener rapidement à pleine ébullition, en remuant constamment.
   Ajouter la pectine et amener de nouveau à ébullition, puis
   laisser bouillir fortement 1 minute.
6. Retirer du feu, écumer et verser dans des verres à gelée
   stérilisés et chauds. Sceller immédiatement.

Gelée de pommes
(3 ou 4 verres de huit onces)

---

4 tasses de jus de pommes (environ 3 livres de pommes à
    tarte)
3 tasses d'eau
2 c. à table de jus de citron (facultatif)
3 tasses de sucre

---

1. Utiliser ¼ de pommes pas très mûres et ¾ bien mûres.
2. Laver les pommes, retirer la queue et ne pas les peler ni

enlever le cœur. Les couper en petits morceaux et mettre dans une grande marmite.

3. Ajouter l'eau, couvrir et amener à ébullition, à feu vif. Réduire le feu et laisser mijoter jusqu'à ce que les pommes soient tendres, environ 20 à 25 minutes. Extraire le jus (il devrait y en avoir 4 tasses).
4. Mettre le jus dans la marmite avec le jus de citron et le sucre et bien mélanger. Amener à ébullition, puis laisser bouillir, à feu vif, jusqu'à épaississement.
5. Retirer du feu, écumer et verser dans des verres à gelée stérilisés et chauds. Sceller immédiatement.

Gelée de pommes à la menthe
(3 ou 4 verres de huit onces)

1 tasse de feuilles de menthe, bien pressées
1 tasse d'eau bouillante
1 recette de gelée de pommes (recette précédente)
Colorant végétal vert

1. Trier, laver les feuilles de menthe, couper les tiges.
2. Mesurer les feuilles de menthe et les mettre dans un bol, les couvrir d'eau bouillante et laisser reposer ainsi durant 1 heure. Presser les feuilles pour obtenir le jus puis le mesurer.
3. Préparer la gelée de pommes de la recette précédente, en ajoutant 8 c. à table de jus de menthe au jus de pomme. Colorer la gelée avec quelques gouttes de colorant végétal juste avant de remplir les verres à gelée.

Gelée d'oranges
(4 verres de huit onces)

1 boîte (6 onces) de jus d'orange concentré, congelé, non dilué
1 c. à table de zeste d'orange râpé
3 c. à table de jus de citron

1¼ tasse d'eau
3½ tasses de sucre
½ bouteille (3 onces) de pectine liquide

1. Mélanger, dans une grande casserole, le jus et le zeste d'orange, le jus de citron et l'eau. Ajouter le sucre et remuer, sur un feu modéré, jusqu'à ce que le sucre soit dissous et que le mélange commence à bouillir.
2. Ajouter la pectine tout à la fois et amener à pleine ébullition en remuant constamment. Laisser bouillir 1 minute.
3. Retirer du feu et écumer.
4. Verser dans des verres à gelée stérilisés et chauds, et sceller immédiatement.

Gelée d'orange au sauternes
(4 à 6 verres de huit onces)

1 c. à thé de zeste d'orange râpé finement
½ tasse de jus d'orange
1½ tasse de sauternes (ou un autre vin blanc sucré)
2 c. à table de jus de citron
4 tasses de sucre (ou miel doux)
½ bouteille (3 onces) de pectine liquide

1. Mélanger, dans une grande marmite, le zeste et le jus d'orange, le vin, le jus de citron et amener à pleine ébullition.
2. Incorporer le sucre (ou le miel). Réduire le feu et laisser mijoter, à découvert, durant 3 minutes.
3. Ajouter la pectine et amener de nouveau à pleine ébullition ; laisser bouillir 1 minute.
4. Retirer du feu et écumer.
5. Verser dans des verres à gelée stérilisés et chauds. Sceller immédiatement.

Gelée de groseilles (Bar-le-duc)
(4 verres de huit onces)

4 tasses de jus de groseilles (environ 2½ pintes de groseilles)
1 tasse d'eau
4 tasses de sucre

1. Utiliser ¼ de groseilles pas trop mûres, et ¾ bien mûres. Trier les groseilles, les laver et bien les égoutter, ne pas enlever les tiges.
2. Broyer les groseilles et les mettre dans une grande marmite avec l'eau. Couvrir et amener à ébullition. Réduire le feu et laisser mijoter, couvert, durant 10 minutes. Extraire le jus ; en mesurer 4 tasses et mettre dans la casserole. Amener à une ébullition rapide. Ajouter le sucre, en remuant jusqu'à ce qu'il soit dissous. Poursuivre l'ébullition jusqu'à consistance de gelée.
3. Retirer du feu et écumer.
4. Verser dans des verres à gelée chauds et stérilisés, et sceller immédiatement.

Gelée de cynorrhodons*
(4 à 6 verres de huit onces)

2 tasses de jus de cynorrhodons (environ 1 livre de cynorrhodons)
1 tasse d'eau
3 tasses de jus de pommes (environ 2 livres de pommes à cuire)
1 tasse d'eau
5 c. à table de jus de citron (facultatif)
3¾ tasses de sucre
Colorant végétal rouge et jaune

1. Laver les cynorrhodons et retirer les tiges. Mettre les fruits dans une marmite avec l'eau et amener à ébullition. 109

Réduire le feu et laisser mijoter, à couvert, jusqu'à ce qu'ils soient tendres.

2. Utiliser ¼ de pommes pas trop mûres et ¾ bien mûres. Bien les laver, retirer la tige et l'ombilic ; ne pas les peler ni enlever le cœur. Couper les pommes en petits morceaux et les mettre dans une seconde casserole avec l'eau. Amener à ébullition. Réduire le feu et laisser mijoter, couvert, jusqu'à ce qu'elles soient tendres.

3. Extraire le jus des deux fruits. Mélanger dans une casserole 2 tasses de jus de cynorrhodons avec 3 tasses de jus de pommes. Ajouter le jus de citron et le sucre et bien mêler. Amener à ébullition et laisser bouillir, à feu vif, jusqu'à consistance de gelée. Retirer du feu et écumer. Tinter avec quelques gouttes de colorant végétal.

4. Verser dans des verres à gelée chauds et stérilisés, et sceller immédiatement.

NOTA : Les cynorrhodons, cueillis seulement après la première gelée, ne doivent jamais être utilisés si les rosiers ont été saupoudrés avec un insecticide.

*Note du traducteur : Les cynorrhodons sont les fruits du rosier simple (églantier). Si vous possédez de tels rosiers, il faut laisser les roses se faner sur l'arbuste afin d'obtenir ces fruits à l'automne.

Gelée de rhubarbe et de fraises
(3 verres de huit onces)

6 tasses de rhubarbe non pelée, tranchée (3 livres environ)
1 tasse d'eau
1 chopine de fraises lavées, équeutées et en purée
3¼ tasses de sucre
1 bouteille (6 onces) de pectine liquide

1. Laver et trancher la rhubarbe. La mettre dans une grande casserole avec l'eau et amener à ébullition. Réduire le feu et laisser mijoter, couvert, durant 10 à 15 minutes, ou jusqu'à ce qu'elle soit tendre et qu'elle se défasse en filaments. Retirer du feu et incorporer les fraises.

2. Extraire le jus. Il devrait y en avoir 2 tasses, sinon compléter avec de l'eau. Mélanger le jus et le sucre dans une grande casserole. Remuer, à feu modéré, jusqu'à ce que le sucre soit dissous et que le mélange commence à bouillir. Ajouter la pectine tout à la fois et continuer de remuer. Amener à une très forte ébullition, puis laisser bouillir 1 minute. Retirer du feu et écumer.
3. Verser dans des verres à gelée stérilisés et chauds, et sceller immédiatement.

Gelée au champagne
(4 verres de huit onces)

---

1 paquet (1¾ once) de pectine en poudre
¾ tasse d'eau
3 tasses de champagne
4 tasses de sucre

---

1. Mélanger la pectine avec l'eau dans une grande casserole. Amener à une rapide ébullition, sur un feu vif et en remuant constamment. Laisser bouillir fortement durant 1 minute.
2. Réduire le feu ; ajouter le champagne et le sucre ; laisser mijoter durant 5 minutes, ou jusqu'à ce que le sucre soit dissous, en remuant constamment.
3. Retirer du feu et écumer.
4. Verser dans des verres à gelée stérilisés et chauds. Sceller immédiatement.

7. Marinades, relish, chutney et sauces

Les marinades, relish et chutney agrémentent particulièrement les repas. Ils ajoutent, à plus d'un aliment, de la couleur, de la saveur et une texture croustillante spéciale qui leur sont propres. La saveur sucrée, sure et salée des fruits et des légumes marinés est facile à obtenir et, en général, la manière de procéder est tout à fait simple. Les débutantes y trouveront une bonne occasion pour se familiariser avec l'outillage et les méthodes de mise en conserve.

Les marinades au vinaigre se divisent en quatre catégories, basées chacune sur une méthode différente de préparation et les ingrédients utilisés.

Les marinades saumurées, aussi appelées marinades fermentées, requièrent un saumurage d'envrion trois semaines. Les concombres au fenouil et la choucroute font partie de cette catégorie. Les autres légumes, comme les tomates vertes, peuvent être marinés de cette manière. La saumure change la couleur des concombres : de vert brillant, ils deviennent vert olive ou vert pâle. L'intérieur blanc des concombres frais devient uniformément translucide. Durant le saumurage, une fine saveur ni trop salée, ni trop sucrée, ni trop épicée se développe. Les concombres au fenouil peuvent être assaisonnés avec de l'ail, si désiré. La pelure des marinades doit être tendre et ferme, sans être dure, élastique ou ratatinée. L'intérieur sera tendre et ferme, sans être mou ou détrempé.

Les marinades de légumes frais, tels que les concombres tranchés en biais, les concombres entiers au fenouil, les cornichons sucrés et les haricots verts au fenouil, sont saumurées plusieurs heures ou durant toute la nuit, puis égouttées et mises dans les bocaux avec du vinaigre bouillant, des épices et autres assaisonnements. Elles se préparent facilement et rapidement et possèdent une saveur aigre et piquante. Les assaisonnements dépendent de votre goût personnel. Les concombres entiers frais doivent être d'un vert olive, croustillants, tendres, mais encore fermes.

Les marinades de fruits sont habituellement préparées avec des fruits entiers et mijotés dans un sirop aigre-doux épicé. Ces fruits seront de couleur brillante, de grosseur uniforme, tendres, mais encore fermes, sans être gorgés d'eau. Les pêches, les poires et la pelure de melon d'eau entrent dans cette catégorie.

Les relish sont préparées avec des fruits et des légumes hachés, assaisonnés et cuits jusqu'à une consistance désirée. Couleur claire et brillante et uniformité des morceaux de fruits et de légumes, telles sont les caractéristiques d'une relish appétissante. Les relish accentuent la saveur des autres aliments.

Ingrédients pour la réussite des marinades
Le succès des marinades dépend de la bonne qualité des ingrédients utilisés et des méthodes particulières de procéder. Les proportions exactes de fruits ou de légumes, de sucre, de sel, de vinaigre et d'épices sont également essentielles. Si on choisit des ingrédients de bonne qualité et si l'on s'en tient aux méthodes modernes, l'alun et la lime deviennent superflus pour réussir des marinades croustillantes et fermes.

Utilisez des recettes éprouvées et lisez-les entièrement avant de commencer. Assurez-vous d'avoir sous la main tous les ingrédients nécessaires. Surtout, mesurez-les et pesez-les soigneusement

Fruits et légumes
Choisissez des légumes tendres et des fruits fermes. Des concombres spécialement cultivés pour les marinades, car les concombres de table ne donnent pas les meilleures marinades. Que vos concombres à mariner entiers ne soient pas cirés, car la saumure ne pourrait les pénétrer. Les poires et les pêches peuvent n'être pas tout à fait mûres. Choisissez des produits de grosseur uniforme, convenant le mieux à la 113

recette, et utilisez-les le plus tôt possible après la cueillette ou l'achat. Sinon, réfrigérez-les ou conservez-les dans un endroit qui les gardera bien aérés et frais. C'est particulièrement important pour les concombres, car ils se gâtent rapidement à la température de la pièce. N'utilisez jamais de fruits ou de légumes qui vous semblent légèrement moisis.

Lavez les fruits et les légumes, pelés ou non, à l'eau froide, en les brossant queiques instants en-dessous de l'eau courante ou en changeant plusieurs fois d'eau, car la terre qui s'y attache peut contenir des bactéries difficiles à détruire. Rincez parfaitement la casserole entre les lavages. En retirant les fruits ou les légumes de l'eau, afin que la terre qui s'en est détachée ne soit pas égouttée avec eux, manipulez-les doucement et évitez de les meurtrir. Retirez toutes les tiges des concombres : elles peuvent devenir une source d'enzymes causant l'amollissement des concombres durant la fermentation

Sel

Utilisez du gros sel. Le sel iodé donnera des marinades foncées tandis que le sel contenant des additifs l'empêchant de prendre en pain troublera la saumure.

Vinaigre

Utilisez un vinaigre de bonne qualité. Le vinaigre de cidre, avec son goût âpre et mûri, donnera un mélange de saveur agréable, mais il peut foncer les fruits et les légumes blancs ou de couleur pâle. Par contre, le vinaigre blanc distillé, au goût fort et piquant d'acide acétique, est préférable lorsqu'on veut conserver aux marinades leur couleur claire, comme dans le cas des poires, des oignons et des choux-fleurs. Ne diluez pas le vinaigre plus que requis dans la recette. Si vous préférez un vinaigre moins acide, ajoutez-y du sucre plutôt que de le diluer.

Sucre

On peut utiliser, au choix, le sucre blanc ou le sucre brun. Le blanc est préférable, à moins que la recette n'exige spécifiquement le brun. Ce dernier peut légèrement foncer les aliments.

Épices

Ne confondez pas herbes et épices. Les herbes sont des feuilles séchées de plantes aromatiques croissant dans la zone tempérée. Les épices proviennent des tiges séchées, des feuilles, des racines, des graines, des fleurs, des bourgeons, de l'écorce des plantes aromatiques qui croissent dans les tropiques. Les épices fraîches donnent toujours de meilleures saveurs, mais elles se détériorent rapidement et perdent leur saveur piquante sous l'action de la chaleur ou de l'humidité. Si vous ne pouvez les utiliser immédiatement, conservez-les dans un contenant étanche, que vous rangerez dans un endroit frais.

Outillage

Pour faire chauffer les liquides à marinades, utilisez des casseroles émaillées non écorchées, en acier inoxydable, en aluminium ou en verre. Évitez le cuivre, le bronze et les ustensiles galvanisés ou en fer. Ces métaux peuvent réagir aux acides et au sel, modifier sensiblement la couleur des marinades ou encore former des composés indésirables.

Pour la fermentation ou la saumure, utilisez un pot de terre ou en grès, une casserole en émail double intacte, un grand pot ou bocal en verre, un bol ou une casserole. Une assiette lourde ou un grand couvercle de verre est nécessaire pour maintenir les légumes dans la saumure. Un bocal de verre rempli d'eau fera un excellent poids pour maintenir cette assiette ou ce couvercle à l'intérieur du bocal.

Voici quelques petits ustensiles qui peuvent vous être utiles : cuillères à mesurer, grandes cuillères de bois ou en acier inoxydable pour brasser, tasses à mesurer, couteaux tranchants, grands plateaux, pinces, couteau à légumes, louche avec bec verseur, écumoire, passoire sur pieds ou broyeur et planche en bois pour couper les fruits ou les légumes.

Une balance de cuisine est indispensable lorsque les recettes indiquent le poids des ingrédients.

Bocaux de verre et couvercles

Choisissez des bocaux et des couvercles exempts de fêlures, écorchures, rouille, bosselures ou de tout autre défaut qui empêcherait une fermeture hermétique, sinon vous risqueriez de voir vos marinades se corrompre à brève échéance. Les bocaux à marinades appelés à subir une stérilisation dans un bain d'eau bouillante n'ont pas besoin d'être stérilisés au préalable. Ceux qui sont utilisés pour les marinades, les relish, les chutney ou les sauces doivent être stérilisés durant 20 minutes dans l'eau bouillante et retirés de l'eau un à la fois, au fur et à mesure que vous en avez besoin. Les couvercles en métal devront être bouillis durant 5 minutes et ajustés et scellés avec une bande de vissage en métal, un à la fois, au cours du remplissage.

Méthodes générales pour faire les marinades

1. Lisez attentivement la recette afin de vous assurer que vous avez sous la main tous les ingrédients et l'outillage requis. Notez que plusieurs recettes de marinades sont

préparées en deux ou trois phases, exigeant plusieurs heures entre chacune.

2. Remplissez aux deux tiers le stérilisateur à bain d'eau bouillante, couvrez-le et faites chauffez l'eau.

3. Vérifiez les bocaux pour déceler les fêlures, écorchures et éclats. Lavez-les, ainsi que les couvercles, dans de l'eau chaude savonneuse, et rincez-les parfaitement.

4. Lavez soigneusement les légumes à l'eau froide, selon les instructions données précédemment.

5. Préparez la recette.

6. Si la recette n'exige pas de stérilisation des bocaux une fois remplis, stérilisez-les alors dans l'eau bouillante, durant 20 minutes avant de vous en servir. Stérilisez également les couvercles, durant 5 minutes. Lorsque vous préparez des marinades que ne requièrent pas de stérilisation, gardez les aliments bouillants sur le dessus de la cuisinière et remplissez les bocaux chauds et stérilisés, un à la fois.

7. Si la recette demande une stérilisation une fois les bocaux remplis, lavez d'abord ceux-ci dans l'eau savonneuse, rincez-les et laissez-les dans l'eau chaude jusqu'au moment du remplissage. Stérilisez les couvercles durant cinq minutes et laissez-les dans l'eau chaude jusqu'au moment de sceller les bocaux.

8. Remplissez les bocaux jusqu'à ⅛ pouce du bord. Expulsez les bulles d'air en introduisant la lame d'un couteau propre à l'intérieur du bocal, entre les aliments.

9. Essuyez le bord du bocal avec une serviette de papier propre ou un linge humide, puis scellez immédiatement.

10. Si la stérilisation subséquente n'est pas nécessaire, placez les bocaux debout, distancés légèrement les uns des autres et laissez-les refroidir. Évitez de les placer sur une surface humide et protégez-les des courants d'air.

11. Si la stérilisation est nécessaire, suivez les instructions données pour la stérilisation par bain d'eau bouillante (numéros 14 et 15, pages 50 ou 51) ou suivez les données 117

de la recette s'il y a lieu.

12. Si vous entendez un petit bruit sec durant le refroidissement des bocaux scellés avec des couvercles de métal
et des bandes de vissage, c'est un signe que l'herméticité se fait bien.

13. Lorsque les bocaux sont refroidis, vérifiez leur herméticité (page 35).

14. Si l'herméticité n'est pas complète, faites bouillir de
nouveau les aliments en deçà de 24 heures, en leur
ajoutant un peu de vinaigre pour compenser la perte
due à l'évaporation. Remettez ensuite dans des bocaux
propres, chauds et stérilisés, et scellez immédiatement
avec de nouveaux couvercles. Il faut prendre soin, toutefois, de ne pas trop faire cuire les marinades si vous
voulez les garder croustillantes.

15. Essuyez les bocaux avec un linge humide. Étiquetez-les
en indiquant leur contenu et la date.

16. Remisez-les dans un endroit frais, obscur et sec.

Altitudes et temps de stérilisation

Le temps de stérilisation indiqué dans les recettes convient aux altitudes de moins de 1,000 pieds au-dessus de
niveau de la mer. À des altitudes de 1,000 pieds ou plus, on
l'augmentera.

Altitude (pieds)	Augmentation du temps de stérilisation (minutes)
1,000	1
2,000	2
3,000	3
4,000	4
5,000	5
6,000	6
7,000	7
8,000	8
9,000	9
10,000	10

Causes principales des marinades de mauvaise qualité

Des marinades ratatinées résultent d'une saumure trop forte en vinaigre, en sucre ou en sel, d'une cuisson prolongée ou d'une stérilisation trop longue. Si vos ingrédients sont très sucrés ou très sûrs, préparez une solution diluée et augmentez-en graduellement la force jusqu'à l'obtention de la saveur désirée.

Si vos marinades présentent des vides ou se défont, c'est que, probablement, vos concombres étaient de mauvaise qualité, trop mûrs ou mis en conserve plus de 24 heures après leur cueillette ou, encore, à cause d'une fermentation trop rapide, d'une saumure trop forte ou trop faible durant la fermentation.

Des marinades ramollies et gluantes sont le résultat d'une corruption microbienne. Une fois qu'une marinade a perdu sa consistance, il n'est plus possible de la raffermir. L'activité microbienne peut résulter d'une insuffisance de sel ou d'acide, de concombres non recouverts de saumure durant la fermentation, de l'absence totale d'écume durant la fermentation, d'une chaleur de stérilisation insuffisante, d'un scellage non hermétique, de l'emploi d'ail ou d'épices impropres à la consommation.

Les ombilics des concombres peuvent contenir des champignons ou des levures responsables du ramollissement enzymatique des marinades ; pour cette raison, ils doivent toujours être enlevés avant la fermentation.

Les marinades foncées sont probablement dues à l'emploi d'épices moulues, d'une trop grande quantité d'épices, de sel iodé, d'une cuisson prolongée, de l'eau contenant des minéraux (particulièrement du fer), des ustensiles en fer.

Marinade au fenouil saumurée

---

20 livres de concombres de 3 à 6 pouces de longueur

(environ ½ boisseau)

3 bouquets de fenouil frais

¾ tasse d'épices à marinades

10 gousses d'ail, ou au goût (facultatif)
2½ tasses de vinaigre de cidre (ou de vinaigre blanc, pour
   une marinade moins colorée)
1¾ tasse de gros sel
2½ gallons d'eau

---

1. Lavez soigneusement les concombres à l'eau froide, à l'aide d'une brosse à légumes. Retirer tous les ombilics. Manipuler doucement afin d'éviter les meurtrissures. Égouttez sur une grille ou sur un papier absorbant.

2. Mettre la moitié du fenouil dans un grand pot de terre cuite ou un grand bocal de 5 gallons. Remplir avec les concombres jusqu'à 3 ou 4 pouces du bord. Déposer les épices et le fenouil sur les concombres ; ajouter l'ail, s'il y a lieu.

3. Mélanger le vinaigre, le gros sel et l'eau et verser sur les concombres. Couvrir avec une lourde assiette de porcelaine ou de verre ; ou encore avec un couvercle qui s'ajusterait bien à l'intérieur de pot. Afin de garder les concombres complètement dans la saumure, déposer un poids sur l'assiette ou le couvercle. (Un pot de verre rempli d'eau fait un excellent poids.)

4. Couvrir le pot avec un linge, sans trop serrer, et garder à la température de la pièce. En dedans de trois à cinq jours, il se formera une écume qu'il vous faudra enlever quotidiennement. Ne pas remuer les concombres, mais les garder submergés dans la saumure. Si nécessaire, préparer une saumure additionnelle en vous basant sur les quantités originales de la recette.

Trois semaines plus tard, les concombres deviendront d'un beau vert olive et dégageront une bonne odeur. Les taches blanches à l'intérieur des concombres marinés disparaîtront à la stérilisation.

La saumure originale est habituellement brouillée ; cela provient du développement de la levure durant la fermentation. Si cette saumure vous semble désagréable, vous pouvez en préparer une plus fraîche et en couvrir les concombres dans les bocaux. Cependant, la saumure fermentée est toujours préférable en raison de sa saveur particulière. Il faut la couler avant de la faire bouillir.

5. Mettre les concombres dans des bocaux d'une pinte chauds et stérélisés (7 à 10 concombres par bocal). Ajouter un peu de fenouil et une ou deux gousses d'ail par bocal. Ne tasser pas trop les concombres. Les couvrir avec la saumure bouillante, en laissant un espace de tête de ½ pouce. Sceller immédiatement.

6. Stériliser dans l'eau bouillante durant 15 minutes. La méthode de stérilisation pour les concombres fermentés et la choucroute diffère légèrement de la méthode habituelle du bain d'eau bouillante, parce que le temps de stérilisation commence aussitôt que les bocaux sont placés dans l'eau qui bout à gros bouillons. Cette méthode empêche les aliments de prendre un goût de cuisson désagréable et conserve les concombres croustillants, qualité très importante pour de bonnes marinades.

7. Retirer les bocaux de l'eau bouillante, vérifier leur herméticité, les placer sur une grille, à quelques pouces les uns des autres, et les laisser refroidir.

Choucroute
16 à 18 pintes

---

50 livres de chou
2 tasses de gros sel

Retirer les premières feuilles et les parties indésirables du chou. Laver, égoutter et couper en moitiés ou en quartiers, en retirant le cœur. À l'aide d'une râpe ou d'un couteau tranchant, couper en filaments de l'épaisseur d'un dix sous. Mettre 5 livres du chou râpé dans un grand récipient avec 3 c. à table de gros sel et bien mélanger. Laisser flétrir quelques minutes, ça vous permettra de le mettre dans le bocal sans trop le briser.

Mettre le chou salé, par petites quantités à la fois, dans un grand pot ou bocal, puis avec une cuillère de bois ou avec vos mains, le presser fermement jusqu'à ce que le liquide monte à la surface. Continuer à remplir le pot ainsi, jusqu'à 3 ou 4 pouces du bord.

Couvrir le chou avec un linge propre et mince (une mousseline par exemple) et replier les bords contre l'intérieur du contenant de manière à ce que le chou ne soit pas exposé à l'air. Placer un poids sur le dessus afin que le liquide puisse monter à la surface. Un bocal rempli d'eau fait un bon poids.

Une autre manière de couvrir le chou durant la fermentation consiste à placer un sac de plastique rempli d'eau sur le dessus du chou. Ce sac d'eau empêche l'air de pénétrer et prévient ainsi la croissance de pellicules de levures ou de moisissures, tout en servant de poids. Par mesure de protection, glissez le sac d'eau à l'intérieur d'un autre sac de plastique. Ces sacs devront être résistants, étanches à l'eau et sans danger pour les aliments. La quantité d'eau dans le sac sera suffisante pour exercer juste assez de pression sur le chou pour le maintenir dans la saumure.

Dès que la fermentation commence, il faut, chaque jour, enlever l'écume qui se forme, placer un linge propre sur le chou et laver l'assiette. La fermentation est habituellement complétée en 5 ou 6 semaines. L'apparence et le goût de la choucroute vous indiqueront la fin de la fermentation. La formation de bulles de gaz indique que la fermentation commence. Après la fermentation, faire mijoter la choucroute, mais non la faire bouillir. La mettre ensuite dans des bocaux propres et chauds et la couvrir avec le liquide chaud, en laissant un espace de tête de ½ pouce. Sceller les bocaux. Les stériliser dans un bain d'eau bouillante durant 15 minutes pour les bocaux d'une chopine, et durant 20 minutes pour les bocaux d'une pinte. Commencer à compter le temps de stérilisation aussitôt que les bocaux sont placés dans l'eau bouillante. Retirer ensuite les bocaux et les laisser refroidir sur une grille à quelques pouces les uns des autres.

Corruption de la choucroute
   Si la choucroute prend une couleur indésirable, dégage une étrange odeur et perd sa consistance, c'est signe de corruption.
   Une choucroute sans consistance provient d'une insuffisance de sel, d'une température trop élevée durant la fermentation, d'une distribution inégale du sel, de poches d'air causées par un remplissage inadéquat.
   La choucroute rosée provient de la croissance, à la surface, de certains types de levures résultant d'une distribution inégale de sel, d'une trop grande quantité de sel ou d'un recouvrement inadéquat du chou ou d'un poids insuffisant sur le chou durant la fermentation.
   Une choucroute foncée peut être causée par un chou non lavé et incorrectement mondé, une insuffisance de liquide pour le couvrir durant la fermentation, une distribution inégale de sel, une exposition à l'air, des températures trop élevées durant soit la fermentation, soit la stérilisation ou le rangement, une période de rangement trop longue.
   Si la choucroute pourrit, habituellement c'est que le chou n'a pas été suffisamment couvert durant la fermentation.

Marinades mélangées sucrées
(6 chopines)

2 choux-fleurs moyens
2 piments rouges doux, sans graines et coupés en languettes
2 piments verts, sans graines et coupés en languettes
1 livre de petits oignons blancs, coupés en deux
4 tasses de vinaigre blanc
2 tasses de sucre
½ tasse de sirop de maïs
1 c. à table de graines de moutarde
1 c. à table de graines de céleri
1 c. à thé de clous de girofle entiers
¼ c. à thé de curcuma
2 c. à table de gros sel

1. Laver le chou-fleur et le défaire en petits bouquets. En mesurer 8 tasses, les mettre dans une grande marmite, couvrir et faire bouillir doucement durant 5 minutes, dans un peu d'eau bouillante salée. Égoutter.
2. Mélanger le reste des ingrédients dans une grande marmite et amener à ébullition. Ajouter le chou-fleur et laisser bouillir, à découvert, durant 2 minutes.
3. Mettre dans des bocaux d'une chopine, propres et chauds, en laissant un espace de tête de ⅛ de pouce. Sceller immédiatement.
4. Stériliser durant 15 minutes dans un bain d'eau bouillante.

Marinades à la moutarde
(5 pintes)

2 pintes de petits concombres à marinades
2 pintes de petits oignons blancs
1 gros chou-fleur
4 piments rouges doux

1 tasse de gros sel
2 tasses d'eau
1 tasse de farine tout-usage
6 c. à table de moutarde en poudre
1½ tasse de sucre
1 c. à table de curcuma
8 tasses de vinaigre de cidre

---

1. Laver les concombres et les couper en tranches ou en petits morceaux ; ne pas les peler. Laver et peler les oignons. Laver le chou-fleur et le défaire en petits bouquets. Laver les piments, enlever les graines et hacher en gros morceaux.
2. Mélanger les légumes dans un grand bol. Mêler le sel et l'eau et verser sur les légumes. Couvrir et laisser ainsi toute la nuit, à la température de la pièce.
3. Le lendemain matin, amener les légumes et leur saumure au point d'ébullition ; éviter de faire bouillir ; bien les égoutter.
4. Mélanger la farine, la moutarde, le sucre et le curcuma dans une casserole. Ajouter juste assez de vinaigre froid pour obtenir une pâte. Ajouter ensuite le reste de vinaigre et amener à ébullition, en remuant. Laisser bouillir jusqu'à ce que le mélange soit épais et crémeux.
5. Ajouter les légumes bien égouttés et laisser mijoter jusqu'à ce qu'ils soient tendres, mais non sur-cuits.
6. Mettre dans des bocaux d'une pinte, propres et chauds, en laissant un espace de tête de ⅛ de pouce.
7. Sceller immédiatement et stériliser durant 10 minutes dans un bain d'eau bouillante.

Concombres marinés
(environ 6 chopines)

---

25 concombres de 1 à 1½ pouce de diamètre
8 gros oignons
½ tasse de gros sel

5 tasses de vinaigre de cidre
5 tasses de sucre
2 c. à table de graines de moutarde
2 c. à table de graines de céleri
2 c. à thé de curcuma
½ c. à thé de clou de girofle moulu

---

1. Brosser les concombres et les couper en tranches minces ; ne pas les peler.
2. Couper les oignons en tranches minces et les mélanger avec les tranches de concombres et le sel. Couvrir et laisser reposer ainsi, à la température de la pièce, durant 3 heures. Bien égoutter.
3. Mettre le reste des ingrédients dans une grande casserole et amener à ébullition. Ajouter les légumes égouttés et chauffer pleinement, sans faire bouillir.
4. Mettre dans des bocaux d'une chopine, propres et chauds, en laissant un espace de tête de ⅛ de pouce. Sceller immédiatement.
5. Stériliser durant 5 minutes dans un bain d'eau bouillante.

Marinade au fenouil Kosher
(3 à 4 pintes)

---

40 concombres à marinade moyens (environ 4 livres)
Gros sel
3 tasses de vinaigre blanc
12 gousses d'ail pelées
2 c. à table d'épices à marinades
4 bouquets de fenouil frais
8 petits piments rouges, forts

---

1. Bien laver les concombres et enlever tous les ombilics. Faire tremper les concombres durant 24 heures, couverts, dans une saumure préparée avec 1 tassse de sel et 8 tasses d'eau. Retirer ensuite les concombres de la saumure, les égoutter et les assécher.

2. Mettre le vinaigre et 5 tasses d'eau dans une grande casserole. Ajouter les épices et l'ail enveloppés dans un coton-fromage. Amener à ébullition. Ajouter les concombres et retirer la casserole du feu.
3. Remplir chaque bocal d'une pinte, propre et chaud, avec 2 piments, un bouquet de fenouil et les concombres.
4. Remettre le vinaigre sur le feu et amener à ébullition. Retirer les épices. Couvrir les concombres avec le vinaigre, tout en laissant un espace de tête de ½ pouce. Sceller immédiatement.
5. Stériliser durant 20 minutes dans un bain d'eau bouillante.

Tranches de concombres au cari
(5 à 6 chopines)

---

24 concombres moyens
½ tasse de gros sel
8 tasses d'eau
1 c. à thé de poudre de cari
2 tasses de vinaigre
2½ tasses de sucre
¼ tasse de graines de moutarde
1 c. à table de graines de céleri

---

1. Laver les concombres et les couper en tranches minces, sans les peler.
2. Mélanger le sel et l'eau et verser sur les tranches de concombres. Couvrir et laisser ainsi durant 5 heures, à la température de la pièce. Égoutter et bien rincer à l'eau froide, puis égoutter à nouveau.
3. Mêler le reste des ingrédients dans une casserole et amener à ébullition. Ajouter les tranches de concombres et amener de nouveau à ébullition. Retirer du feu immédiatement.
4. Mettre dans des bocaux d'une chopine, propres et 127

chauds, en laissant un espace de tête de ⅛ de pouce. Sceller immédiatement.

5. Stériliser durant 5 minutes dans un bain d'eau bouillante.

Tranches de concombres
(4 à 5 chopines)

---

12 gros concombres
6 oignons moyens
¼ tasse de gros sel
4 tasses de vinaigre
2 tasses de sucre brun pâle, bien tassé
1 c. à table de moutarde sèche
1 c. à table de curcuma
1 c. à table de fécule de maïs

---

1. Laver, peler et trancher les concombres et les oignons. Couvrir avec le sel et laisser reposer, couvert, toute la nuit à la température de la pièce.
2. Mélanger le vinaigre, le sucre et amener à ébullition.
3. Mélanger la moutarde sèche, le curcuma et la fécule de maïs. Ajouter un peu de vinaigre froid ou d'eau froide pour faire une pâte. Ajouter au mélange de vinaigre chaud et amener à ébullition en remuant.
4. Bien égoutter les tranches de concombres et d'oignons les ajouter au mélange chaud et amener à ébullition.
5. Mettre immédiatement dans des bocaux d'une chopine propres et chauds, en laissant un espace de tête de ⅛ de pouce. Sceller immédiatement. Stériliser 5 minutes dans un bain d'eau bouillante.

Marinade rapide de concombres
(environ 6 chopines)

---

4 pintes de concombres non pelés, tranchés minces
1½ tasse d'oignons tranchés minces
⅓ tasse de gros sel

2 gousses d'ail
8 tasses de glace concassée
4 tasses de sucre
1½ c. à thé de curcuma moulu
1½ c. à thé de graines de céleri
2 c. à table de graines de moutarde
3 tasses de vinaigre blanc

---

1. Mélanger les tranches de concombres, d'oignons, le sel et l'ail dans une grande casserole ou un grand bol. Couvrir avec la glace concassée et laisser ainsi 3 heures.
2. Bien égoutter le mélange, jeter le liquide et l'ail aussi, si désiré.
3. Mélanger le sucre, le curcuma, les graines de céleri, de moutarde et le vinaigre, dans une grande marmite. Amener à ébullition et remuer jusqu'à ce que le sucre soit complètement dissous.
4. Ajouter les légumes égouttés et amener à ébullition. Laisser mijoter, à découvert, durant 5 minutes.
5. Mettre dans des bocaux d'une chopine, propres et chauds, en laissant un espace de tête de ⅛ de pouce. Sceller immédiatement. Stériliser durant 5 minutes dans un bain d'eau bouillante.

Marinade de tomates vertes
(3 à 4 chopines)

---

16 tasses de tomates vertes, tranchées (6 livres environ)
¼ tasse de gros sel
8 tasses d'eau bouillante
½ c. à table de poudre d'alun (facultatif)
3 tasses de vinaigre (5% d'acidité)
1 tasse d'eau froide
4 tasses de sucre
1 c. à table d'épices à marinades
½ c. à thé de cannelle
1 c. à table de graines de céleri

½ c. à thé de quatre-épices entiers
1 c. à table de graines de moutarde

1. Laver les tomates et les trancher ; les saupoudrer de sel, couvrir et laisser ainsi toute la nuit, à la température de la pièce. Le lendemain, bien les égoutter.
2. Mêler l'eau bouillante avec la poudre d'alun et verser sur les tomates. Laisser reposer durant 20 minutes, puis égoutter, couvrir d'eau froide et égoutter à nouveau.
3. Mélanger le vinaigre, l'eau froide et le sucre. Y ajouter les épices enveloppées dans un coton-fromage et amener le tout à ébullition. Verser sur les tomates, couvrir et laisser ainsi toute la nuit.
4. Le lendemain, égoutter le liquide des tomates dans une casserole, puis l'amener à ébullition. Le verser ensuite sur les tomates, couvrir et laisser reposer toute la nuit.
5. Le lendemain matin, amener les tomates et leur liquide à ébullition. Mettre dans des bocaux d'une chopine, propres et chauds, en laissant un espace de tête de ⅛ de pouce. Sceller immédiatement.
6. Stériliser durant 5 minutes dans un bain d'eau bouillante.

Marinade de pommettes
(5 à 6 chopines)

8 livres de pommettes
4 tasses de vinaigre
3 tasses d'eau
4 tasses de sucre
1 c. à table de clous de girofle entiers
1 bâton de cannelle
1 c. à thé de quatre-épices entiers
1 c. à thé de macis entiers

1. Laver les pommettes, les trier d'égale grosseur, ne pas les peler.
2. Mettre le vinaigre, l'eau et le sucre dans une grande

casserole. Ajouter les épices enveloppées dans un coton-fromage. Amener à ébullition, puis refroidir.

3. Ajouter les pommettes et chauffer très lentement, en évitant de briser la peau des fruits. Couvrir et laisser reposer dans le sirop toute la nuit, à la température de la pièce.

4. Le lendemain matin, retirer le sac d'épices, puis mettre les pommettes dans des bocaux d'une chopine propres et chauds. Remplir avec le sirop, en laissant un espace de tête de ½ pouce. Sceller immédiatement. Stériliser durant 20 minutes dans un bain d'eau bouillante.

Carottes sucrées marinées
(4 chopines)

8 tasses de carottes en morceaux (environ 2 livres)
2 tasses de vinaigre de cidre
1½ tasse d'eau
2 tasses de sucre
1 c. à table de clous de girofle entiers
1 c. à table de quatre-épices entiers
2 bâtons de cannelle

1. Peler les carottes et les couper en morceaux de ¾ pouce de longueur. Les cuire dans un peu d'eau bouillante salée, couvert, environ 5 minutes, ou jusqu'à ce qu'elles soient tendres. Égoutter.

2. Mélanger le vinaigre, l'eau et le sucre dans une grande marmite. Y ajouter les épices enveloppées dans un coton-fromage et amener à ébullition.

3. Ajouter les carottes, couvrir et laisser ainsi toute la nuit, à la température de la pièce.

4. Le lendemain, amener à ébullition, puis réduire le feu et laisser mijoter, à découvert, durant 3 minutes. Retirer les épices et mettre les carottes dans des bocaux d'une chopine, propres et chauds. Remplir avec le sirop en laissant un espace de tête de ½ pouce. Sceller immédia-tement.

131

5. Stériliser durant 10 minutes dans un bain d'eau bouillante.

Marinade de melon d'eau
(4 pintes)

Pelure d'un gros ou de deux petits melon d'eau
4 tasses d'eau
¼ tasse de sel
8 tasses de sucre
4 tasses de vinaigre de cidre
2 c. à table de clous de girofle entiers
5 bâtons de cannelle
2 c. à table de quatre-épices entiers

---

1. Peler le melon en enlevant toutes les parties vertes, rouges et roses. Couper la pelure en cubes de 1 pouce.
2. Préparer une saumure avec l'eau et le sel, y déposer la pelure de melon, couvrir et laisser tremper toute la nuit, à la température de la pièce.
3. Le lendemain, bien égoutter. Couvrir avec de l'eau froide et faire mijoter jusqu'à ce que la pelure soit presque tendre. Bien l'égoutter.
4. Mettre le sucre, le vinaigre dans une grande marmite avec les épices enveloppées dans un coton-fromage et amener à ébullition, puis laisser mijoter, à découvert, durant 5 minutes. Laisser refroidir environ 15 minutes, puis ajouter la pelure de melon et faire mijoter jusqu'à ce qu'elle soit claire et transparente. Retirer les épices.
5. Mettre immédiatement dans des bocaux d'une pinte, propres et chauds, en laissant un espace de tête de ⅛ de pouce. Sceller immédiatement.
6. Stériliser durant 5 minutes dans un bain d'eau bouillante.

Haricots verts au fenouil
(4 chopines)

2 livres de haricots verts
4 tasses d'eau
1 c. à table de sel
4 tasses de vinaigre de cidre
1 tasse de sucre
2 c. à table d'épices à marinades
2 gousses d'ail pelées
4 bouquets de fenouil frais

1. Trier les haricots et les laver à l'eau froide. Enlever les deux extrémités et les fils, si nécessaire, mais laisser les haricots entiers. Les faire tremper à l'eau glacée durant 30 minutes.
2. Faire une saumure avec l'eau et le sel et amener à ébullition.
3. Égoutter les haricots et les jeter dans cette saumure chaude. Couvrir et faire mijoter durant 20 minutes, ou jusqu'à ce qu'ils soient tendres ; bien les égoutter.
4. Mettre le vinaigre, le sucre dans une grande casserole avec les épices et l'ail enveloppés dans un coton-fromage. Ajouter les haricots et laisser mijoter, à découvert, durant 10 minutes.
5. Mettre les haricots debout, dans des bocaux d'une chopine, propres et chauds ; couvrir avec le vinaigre chaud, en laissant un espace de tête de ½ pouce. Placer un bouquet de fenouil sur le dessus de chaque bocal. Sceller immédiatement.
6. Stériliser durant 5 minutes dans un bain d'eau bouillante.

Betteraves marinées
(3 pintes)

9 livres de très petites betteraves fraîches
1 c. à thé de clous de girofle entiers

1 c. à thé de quatre-épices entiers
2 bâtons de cannelle
2 tasses de sucre
2 tasses de vinaigre de cidre
2 tasses d'eau

1. Laver les betteraves, les égoutter. Ne pas enlever la tige ni les racines afin d'éviter le saignement. Couvrir d'eau bouillante et faire mijoter, couvert, environ 20 minutes, ou jusqu'à ce qu'elles soient tendres. Bien les égoutter. Lorsqu'elles sont refroidies, les peler et enlever la tige et les racines. Si les betteraves ne sont pas très petites, les couper en tranches.
2. Envelopper les épices dans un coton-fromage et les mettre dans une casserole avec le reste des ingrédients. Amener à ébullition. Ajouter les betteraves cuites et laisser mijoter, à découvert, durant 10 minutes. Retirer les épices.
3. Mettre dans des bocaux d'une pinte propres et chauds, en laissant un espace de tête de ½ pouce. Sceller immédiatement. Stériliser durant 30 minutes dans un bain d'eau bouillante.

Pêches marinées
(2 chopines)

2 livres de pêches
1 tasse de vinaigre blanc
2¼ tasses de sucre
1 bâton de cannelle
½ c. à thé de clous de girofle entiers

1. Ébouillanter les pêches, puis les plonger immédiatement dans l'eau froide ; les peler, les couper en deux et enlever les noyaux.
2. Mettre le reste des ingrédients dans une marmite ; amener à ébullition, puis laisser bouillir rapidement, à dé-

couvert, durant 5 minutes. Réduire le feu, laisser tomber les pêches doucement, quelques-unes à la fois, dans le liquide chaud. Laisser mijoter, à découvert, jusqu'à ce qu'elles soient tendres. Ne pas les sur-cuire.

3. Mettre les pêches dans des bocaux d'une chopine, propres et chauds. Couvrir avec le sirop, en laissant un espace de tête de ½ pouce. Sceller immédiatement.

4. Stériliser durant 20 minutes dans un bain d'eau bouillante.

Poires marinées
(3 pintes)

---

3 livres de poires
2 tasses de vinaigre blanc
1½ tasse de sucre brun pâle, bien tassé
1 bâton de cannelle
2 tranches minces de racine de gingembre
1 c. à table de clous de girofle entiers

---

1. Peler les poires ; enlever l'ombilic, mais non la queue. Si les poires sont dures, les couvrir d'eau et les faire bouillir durant 5 minutes. Les égoutter et réserver le liquide pour faire le sirop.

2. Mettre 2 tasses de ce liquide, ou 2 tasses d'eau, dans une grande casserole avec le reste des ingrédients. Amener à ébullition, et laisser bouillir, à découvert, durant 5 minutes. Ajouter délicatement les poires et laisser mijoter jusqu'à ce qu'elles soient transparentes.

3. Mettre les poires dans des bocaux d'une pinte, propres et chauds. Couvrir avec le sirop chaud, en laissant un espace de tête de ½ pouce. Sceller immédiatement.

4. Stériliser durant 20 minutes dans un bain d'eau bouillante.

Relish de tomates vertes
(environ 8 chopines)

---

12 livres de tomates vertes, pelées et hachées
1½ tasse de gros sel
1 chou moyen haché
12 tasses de vinaigre de cidre.
6 oignons hachés
3 piments rouges, doux, égrenés et hachés
2 piments verts, égrenés et hachés
7 tasses de sucre
2 c. à table de graines de céleri
2 c. à table de graines de moutarde
1 c. à table de cannelle moulue
1 c. à table de clou de girofle moulu
1 c. à thé de curcuma
1 gousse d'ail pelée

---

1. Saupoudrer le sel sur les tomates hachées, couvrir et laisser ainsi toute la nuit, à la température de la pièce. Le lendemain, égoutter complètement les tomates et les mettre dans une grande marmite.
2. Ajouter le chou, le vinaigre et amener à ébullition, puis laisser bouillir durant 30 minutes.
3. Ajouter le reste des ingrédients et cuire jusqu'à épaississement, en remuant de temps en temps. Retirer l'ail.
4. À l'aide d'une louche, mettre dans des bocaux stérilisés chauds et sceller immédiatement.

Relish combinée

---

4 tasses d'oignons hachés (environ 4 oignons)
4 tasses de chou haché (environ 1 livre)
4 tasses de tomates vertes, pelées et hachées (environ 6 tomates)
5 piments rouges, forts, hachés

12 piments verts, hachés finement
½ tasse de gros sel
2 tasses de céleri haché finement (4 branches)
4 tasses de sucre
4 tasses de vinaigre de cidre
2 tasses d'eau
1 c. à table de graines de céleri
2 c. à table de graines de moutarde
1½ c. à table de curcuma

1. Mélanger les oignons, le chou, les tomates et les piments ; saupoudrer le sel et laisser ainsi, couvert, toute la nuit, à la température de la pièce. Le lendemain, bien égoutter.
2. Mettre le reste des ingrédients dans une grande marmite et amener à ébullition. Laisser mijoter, à découvert, durant 4 à 5 minutes. Ajouter les légumes égouttés. Amener de nouveau à ébullition et laisser mijoter durant 10 minutes, en remuant de temps en temps.
3. À l'aide d'une louche, mettre dans des bocaux stérilisés et chauds. Sceller immédiatement.

Chutney aux pommes
(environ 4 chopines)

13 pommes à tarte, pelées et le cœur enlevé (environ 4 livres)
3 piments verts, égrenés
1 oignon moyen
1½ tasse de raisins sans pépins
1 c. à table de sel
3 tasses de vinaigre
1½ tasse de sucre
1½ c. à table de gingembre moulu
1½ tasse de gelée de raisins aigres
¾ tasse de jus de citron
1 c. à table de zeste de citron râpé   137

1. Passez les pommes, les piments, les oignons et les raisins au hachoir en utilisant un gros couteau.
2. Ensuite les mettre dans une grande casserole avec le reste des ingrédients. Faire mijoter, à découvert, environ 1 heure, ou jusqu'à ce que le mélange épaississe, en remuant de temps en temps.
3. À l'aide d'une louche, mettre dans des bocaux stérilisés et chauds. Sceller immédiatement.

Relish de canneberges
(2 à 3 chopines)

1 livre de canneberges fraîches
1 orange moyenne
1 tasse de raisins sans pépins
1 oignon haché
½ tasse de piment vert haché
1 gousse d'ail haché
2 c. à table de gingembre frais, haché
1 tasse de vinaigre de cidre
1 boîte (6 onces) de jus de canneberges, concentré, congelé
2 tasses de sucre
½ c. à thé de gros sel
¼ c. à thé de poivre de cayenne
¼ c. à thé de clou de girofle moulu
1 c. à thé de graines de moutarde

1. Laver et trier les canneberges ; les passer au hachoir en utilisant un gros couteau, puis les mettre dans une grande marmite.
2. Peler l'orange avec un couteau à légumes, en évitant de couper la membrane blanche. Couper la pelure en petits morceaux et les ajouter aux canneberges.
3. Retirer entièrement la membrane blanche de l'orange ; sectionner l'orange et l'ajouter aux canneberges. Ajouter également les raisins, l'oignon, le piment, l'ail, le gin-

gembre, le vinaigre et le jus de canneberges. Amener le tout à ébullition, en remuant de temps en temps. Laisser bouillir, à découvert, durant 10 minutes. Ajouter le reste des ingrédients et amener de nouveau à ébullition ; laisser mijoter, à découvert, en remuant souvent, environ 20 minutes, ou jusqu'à ce que le mélange épaississe.

4. À l'aide d'une louche, mettre dans des bocaux d'une chopine, propres et chauds, en laissant un espace de tête de ⅛ de pouce. Sceller immédiatement.

5. Stériliser durant 10 minutes dans un bain d'eau bouillante.

Relish sucrée
(environ 3 chopines)

8 gros concombres mûrs
¼ tasse de gros sel
4 piments rouges, doux ; grains et parties filandreuses enlevés
4 gros oignons, coupés en quartiers
1½ c. à table de graines de céleri
1½ c. à table de graines de moutarde
2½ tasses de sucre
1½ tasse de vinaigre blanc

1. Peler et trancher les concombres ; les placer dans un bol en verre. Ajouter le sel et bien mélanger. Couvrir et réfrigérer toute la nuit.

2. Le lendemain, bien égoutter ; passer au hachoir avec les piments et les oignons, en utilisant un gros couteau.

3. Mettre les légumes dans une grande marmite avec le reste des ingrédients. Amener à ébullition et laisser mijoter, à découvert, environ 30 minutes, ou jusqu'à ce que le mélange épaississe et que les légumes soient cuits, en remuant de temps en temps.

4. À l'aide d'une louche, mettre dans des bocaux stérilisés et chauds. Sceller immédiatement.

Relish pour hot dog
(4 à 5 chopines)

3 livres de tomates vertes
4 pommes rouges
3 piments rouges doux
4 oignons
1½ c. à table de gros sel
1½ c. à thé de poivre
1½ c. à thé de cannelle moulue
¾ c. à thé de clou de girofle moulu
2½ tasses de sucre
2 tasses de vinaigre blanc

1. Laver les tomates, enlever les pédoncules ; couper les tomates en quartiers.
2. Laver les pommes, les couper en quartiers, enlever le cœur, mais ne pas peler les pommes.
3. Laver les piments et retirer les graines.
4. Passer tous les légumes au hachoir, en utilisant un gros couteau.
5. Mélanger le reste des ingrédients dans une grande marmite, et amener à ébullition. Ajouter les légumes hachés et laisser mijoter, à découvert, environ 30 minutes, ou jusqu'à ce que le mélange épaississe ; remuer de temps en temps.
6. À l'aide d'une louche, mettre dans des bocaux stérilisés chauds. Sceller immédiatement.

Relish de betteraves
(5 à 6 chopines)

6 tasses de betteraves cuites, hachées (environ 3 livres)
6 tasses de chou râpé (environ 1½ livre)
¾ tasse de raifort fraîchement râpé
3 c. à thé de gros sel
½ c. à thé de poivre noir, fraîchement moulu

3 tasses de vinaigre de cidre
1½ tasse de sucre

1. Bien mélanger les betteraves, le chou, le raifort, le sel et le poivre.
2. Mettre le vinaigre et le sucre dans une grande marmite et chauffer jusqu'à ce que le sucre soit dissous. Amener à ébullition. Ajouter les légumes et amener de nouveau à ébullition, puis laisser mijoter, à découvert, durant 5 minutes.
3. À l'aide d'une louche, mettre dans des bocaux stérilisés et chauds. Sceller immédiatement.

Relish de maïs
(3 à 4 chopines)

12 épis de maïs sucré, non cuits
2 oignons hachés
2 piments verts hachés
1 piment rouge, doux, haché
1 tasse de chou haché (environ ¼ de livre)
2 c. à table de gros sel
¼ c. à thé de poivre
1½ c. à table de moutarde en poudre
1 tasse de sucre
2 tasses de vinaigre

1. Enlever les grains de maïs des épis sans gratter ces derniers.
2. Mélanger les grains de maïs avec les oignons, les piments et le chou dans une grande casserole. Ajouter le reste des ingrédients. Faire mijoter, à découvert, durant 30 minutes, ou jusqu'à ce que le mélange soit homogène et les légumes soient tendres.
3. Mettre dans des bocaux d'une chopine, propres et chauds, en laissant un espace de tête de ⅛ de pouce. Sceller immédiatement.
4. Stériliser 15 minutes, dans un bain d'eau bouillante. 141

Piccalilli
(5 à 6 chopines)

---

2 piments rouges, doux, égrenés et hachés
2 piments verts, égrenés et hachés
4 tasses de tomates vertes (environs 6 tomates)
1 tasse de céleri haché (environ 2 branches)
2 gros oignons hachés
1 petit chou haché
½ tasse de gros sel
3 tasses de vinaigre de cidre
1 c. à thé de moutarde sèche
2¼ tasses de sucre brun bien pressé
1 c. à thé de curcuma

---

1. Étager les piments, les tomates, le céleri, les oignons et le chou, en saupoudrant chaque rang de sel. Laisser ainsi, couvert, toute la nuit, à la température de la pièce.
2. Le lendemain, égoutter pleinement. Mettre le mélange dans une grande marmite et ajouter le reste des ingrédients. Amener à ébullition et faire mijoter, à découvert, durant 15 à 20 minutes, en remuant fréquemment.
3. À l'aide d'une louche, mettre dans des bocaux d'une chopine, propres et chauds, en laissant un espace de tête de ⅛ de pouce. Sceller immédiatement. Stériliser durant 5 minutes dans un bain d'eau bouillante.

Chow-Chow au maïs
(environ 6 chopines)

---

4 tasses de chou râpé (environ 1 livre)
4 tasses de bouquets de chou-fleur (1 chou-fleur moyen)
3 tasses d'eau
5 épis de maïs frais, non cuits
3 tasses de vinaigre de cidre
1 tasse de piment vert, égrené et haché
1 tasse d'oignon haché

1 tasse de sucre
2 c. à table de graines de moutarde
2 c. à table de graines de céleri
1 c. à table de moutarde sèche
1 c. à table de curcuma
1 c. à table de gros sel

1. Mélanger le chou, le chou-fleur et l'eau dans une grande casserole.
2. Couper les grains de maïs des épis et ajouter au mélange précédent, avec le reste des ingrédients. Amener à ébullition, réduire le feu et mijoter, à découvert, durant 30 minutes, en remuant de temps en temps.
3. Lorsque le mélange est épais, le mettre dans des bocaux d'une chopine, propres et chauds, en laissant un espace de tête de ¼ de pouce. Sceller immédiatement. Stériliser durant 20 minutes, dans un bain d'eau bouillante.

Ketchup aux tomates
(environ 2 chopines)

1 tasse de vinaigre blanc
1½ c. à thé de clou de girofle entiers
1½ c. à thé de bâtons de cannelle, brisés en gros morceaux
1 c. à thé de graines de céleri
8 livres de tomates bien mûres
2 tasses d'eau
1 oignon haché
½ c. à thé de poivre de Cayenne
1 tasse de sucre
3 c. à thé de sel

1. Mettre le vinaigre, le clou, la cannelle et les graines de céleri dans une grande casserole. Amener à ébullition. Retirer du feu et laisser en attente.
2. Ébouillanter les tomates, les peler, les hacher finement et les mettre dans une grande marmite avec l'eau, l'oignon

et le poivre de Cayenne. Amener à ébullition. Faire bouillir, couvert, durant 15 minutes. Passer au mélangeur, enlever peau et graines. Remettre la purée dans la marmite, ajouter le sucre et cuire, à feu modéré, en remuant fréquemment, durant 45 minutes, ou jusqu'à ce que la purée soit réduite de moitié.

3. Égoutter le vinaigre pour en retirer les épices, et l'ajouter au mélange de tomates, ainsi que le sel. Faire mijoter, à découvert, en remuant sans cesse, durant 30 minutes, ou jusqu'à ce que le mélange soit lisse et épais.
4. À l'aide d'une louche, mettre dans des bocaux stérilisés et chauds et sceller immédiatement.

Sauce Chili piquante
(2 chopines)

---

4 à 5 livres de tomates bien mûres
1 gros oignon haché
¾ tasse de sucre
1¼ tasse de vinaigre de cidre
1 c. à thé de piment rouge fort, égrené et broyé
1 c. à thé de graines de moutarde
1 c. à thé de sel
½ c. à thé de gingembre moulu
½ c. à thé de muscade
¼ c. à thé de poudre de cari

---

1. Peler et hacher grossièrement les tomates. Cela devrait en donner 8 tasses.
2. Mettre tous les ingrédients dans une grande marmite et amener à ébullition. Réduire le feu et faire mijoter doucement, à découvert, jusqu'à ce que le mélange soit très épais, soit environ 2 heures. Remuer fréquemment durant la cuisson, afin d'éviter que la sauce ne s'attache au fond de la casserole et brûle légèrement.
3. À l'aide d'une louche, mettre dans des bocaux propres et chauds et sceller immédiatement.

4. Stériliser durant 15 minutes dans un bain d'eau bouillante, si vous désirez conserver cette sauce durant une longue période de temps.

8. Le savez-vous ?

Pourquoi la marmite ouverte n'est-elle pas recommandée pour la mise en conserve des fruits et des légumes ?
Parce que les fruits et légumes sont simplement cuits dans une marmite ordinaire, puis versés dans des bocaux chauds et scellés sans stérilisation. La température atteinte n'est pas alors suffisamment élevée pour détruire tous les micro-organismes qui peuvent se trouver dans les aliments. Il peut y avoir contamination par les bactéries lorsque les aliments passent de la marmite au bocal.

La méthode de remplissage à chaud est-elle utilisée pour tous les légumes ?
Oui, excepté pour les tomates. La précuisson et le remplissage à chaud permettent une pénétration rapide de la chaleur dans les aliments durant la stérilisation par pression. Cela est important, parce qu'une température élevée est nécessaire pour détruire les micro-organismes dans les légumes non acidulés.

Pourquoi les méthodes de remplissage à chaud et à froid sont-elles recommandées pour les fruits ?
La précuisson ainsi que le remplissage à chaud font rétrécir les fruits, par conséquent, les bocaux peuvent en contenir davantage. La méthode de remplissage à froid est préférable pour les baies, car elle aide à leur conserver leur forme naturelle.

Pourquoi les aliments sont-ils classifiés en aliments à forte et à faible teneur d'acide ?
La teneur d'acide dans les aliments détermine la manière de les mettre en conserve, sans danger. Les aliments à haute teneur d'acide, comme les fruits, les tomates et la choucroute, peuvent être stérilisés dans un bain d'eau bouillante, parce que cette dernière (212F, 100C) suffit pour détruire les micro-organismes dans ces aliments. Les aliments

146

à faible teneur d'acide, tels que la viande, les fruits de mer, la volaille et la plupart des légumes, excepté les tomates et la choucroute, doivent être stérilisés dans un stérilisateur à vapeur sous pression, parce qu'une température de 240F (115C) est requise pour détruire les micro-organismes dans ces aliments.

Pourquoi les pêches et les poires foncent-elles après leur mise en conserve ?
Les fruits du dessus du bocal changeront de couleur si la stérilisation n'a pas été suffisamment longue ou si la température n'était pas assez élevée pour détruire les enzymes, cause de cette décoloration, ou si l'air n'a pas été expulsé du bocal. Les fruits exposés à l'air trop longtemps après avoir été pelés et avant d'être mis dans les bocaux peuvent devenir foncés. Pour éviter la décoloration, gardez les fruits dans une eau légèrement salée jusqu'au moment de la stérilisation. Une cuillerée à table de jus de citron ajoutée aux poires mises en conserve par la méthode de remplissage à froid les aidera à conserver leur couleur naturelle. Les fruits mis en conserve sans sucre brunissent parfois après que le bocal est ouvert et exposé à l'air, comme il arrive aux fruits frais exposés à l'air après avoir été pelés.

Quelle quantité de sel faut-il ajouter à l'eau dans laquelle les fruits sont placés afin de leur éviter la décoloration ?
Une cuillerée à thé de sel pour chaque pinte d'eau est suffisante.

L'acide ascorbique préserve-t-il les fruits et les légumes de la décoloration ?
Oui. L'addition de ¼ c. à thé d'acide ascorbique cristalline (vitamine C) à une pinte de fruits ou de légumes, avant la stérilisation, retarde l'oxydation, une des causes du changement de couleur des fruits et des légumes en conserve.

Pourquoi les fruits en conserve flottent-ils quelquefois dans les bocaux ?
Les fruits peuvent flotter parce que les bocaux ne sont pas suffisamment remplis ou parce que le sirop est trop épais. 147

Ils peuvent aussi flotter si, après avoir été chauffés et stérilisés, ils conservent de l'air dans leurs tissus.

Pourquoi les bocaux d'une pinte demandent-ils une stérilisation plus longue que ceux d'une chopine dans la méthode de remplissage à froid, mais non dans celle de remplissage à chaud ?
Dans la méthode de remplissage à froid, la chaleur, durant la stérilisation, prend plus de temps à atteindre le centre d'un bocal d'une pinte. Dans la méthode de remplissage à chaud, les aliments au centre du bocal d'une chopine ou d'une pinte sont également chauds lorsqu'ils sont mis dans le bocal.

Comment les aliments doivent-ils être mis dans les bocaux : sans trop les tasser ou fermement ?
Les aliments comme le maïs, les pois, les fèves de Lima et les haricots verts devront être mis dans les bocaux sans trop les tasser parce que, en raison de leur texture, la chaleur les pénètre difficilement. Les fruits et les tomates devront être tassés davantage parce qu'ils diminueront de volume durant la stérilisation. Leur texture ne retarde pas la pénétration de la chaleur. Tous les autres aliments seront mis dans les bocaux sans être trop comprimés.

Les bocaux et les couvercles doivent-ils être stérilisés?
Lorsqu'on utilise la marmite ouverte, les bocaux et les couvercles devront toujours être stérilisés. Mais lorsque les aliments sont stérilisés dans les bocaux, ces derniers sont seulement lavés parfaitement. Les couvercles seront bouillis durant cinq minutes dans suffisamment d'eau pour les couvrir. Les bandes de vissage ne demandent pas de stérilisation. Le chauffage des bocaux prévient le bris au moment du remplissage.

Comment stériliser les bocaux ?
Lavez les bocaux et les couvercles dans une eau chaude savonneuse. Rincez-les à l'eau claire. Mettez les bocaux dans suffisamment d'eau chaude pour les couvrir. Amenez à ébullition, puis laissez bouillir durant 20 minutes. Faites bouillir

les couvercles et laissez-les dans l'eau chaude avec les bocaux jusqu'au moment du remplissage. Si vous retirez les bocaux à l'avance et les laissez exposés à l'air, ils perdront tous les avantages que leur apporte la stérilisation.

Quel est le rôle de la stérilisation ?
La stérilisation a pour effet de détruire les enzymes, les levures, les moisissures et les bactéries susceptibles de causer la corruption des aliments mis en conserve.

Les bocaux qui ont bouilli dans l'eau avant la mise en conserve sont-ils plus résistants ?
Non. L'ébullition n'augmente en rien leur résistance naturelle à la chaleur.

Qu'est-ce qui cause le bris des bocaux dans le stérilisateur ?
Le bris de bocaux se produit pour plusieurs raisons : l'emploi de bocaux commerciaux au lieu de bocaux Mason ; l'emploi de vieux bocaux qui ont de fines fêlures souvent invisibles, ou d'autres qui ont été endommagés dans le transport ou la manutention ; l'absence de claie dans le fond du stérilisateur.

Quelles sont les causes du dépôt laiteux apparaissant sur les bocaux, à leur sortie du stérilisateur ?
Ce dépôt est causé par les minéraux qui se trouvent naturellement dans l'eau, et particulièrement le calcium. L'addition d'une cuillerée à table de vinaigre ou d'une cuillerée à thé de crème de tartre dans l'eau éliminera ce dépôt. Le vinaigre préviendra aussi les taches minérales à l'intérieur du stérilisateur.

Qu'elle est l'utilité des demi-gallons ?
La plupart des stérilisateurs à bain d'eau bouillante ou à vapeur sous pression ne sont pas suffisamment grands pour contenir les bocaux d'un demi-gallon, mais ces derniers peuvent être utilisés pour les marinades et les relish qui ne requièrent pas de stérilisation.

Quels genres de couvercles peuvent être utilisés ?
Il existe quatre sortes de couvercles. Le plus populaire est celui composé de deux morceaux dont un couvercle plat de métal enduit d'un composé de caoutchouc et une bande de vissage. Le disque de métal ne doit être utilisé qu'une seule fois. La bande de vissage peut être réutilisée.

Pourquoi les couvercles de métal doivent-ils être bouillis dans l'eau cinq minutes avant de les utiliser ?
Pour les stériliser et aussi pour amollir le composé de caoutchouc qui épousera alors plus facilement l'empreinte du bord du bocal et en bouchera toutes les minces irrégularités pour un scellage parfait. Ce composé de caoutchouc peut être endommagé si on fait bouillir les couvercles plus de cinq minutes.

Qu'est-ce qui maintient les couvercles de métal en place après que les bandes de vissage sont enlevées ?
Deux choses. Le composé de caoutchouc forme une sorte de « soudure » ou scellage lorsqu'il est pressé contre le bord du bocal par la bande de vissage. Mais le plus important, c'est le vide créé à l'intérieur du bocal lorsque le contenu refroidit. Alors, plus de 10 livres de pression d'air sur le dessus du liquide aident à maintenir le scellage.

Pourquoi le dessous des couvercles change-t-il parfois de couleur ?
Les composés naturels de plusieurs aliments corrodent le métal et laissent un dépôt brun ou noir sur le dessous du couvercle. Ce dépôt est inoffensif.

Pourquoi certaines bandes de vissage collent-elles aux bocaux ?
Cela provient du jus des aliments sur le bord des bocaux. Les jus retenant la bande de vissage sur le bocal se dissolvent dans l'eau chaude. On peut encore briser les adhérences en frappant légèrement sur la bande de vissage avec le manche d'une couteau.

Comment vérifier si le bocal est réellement scellé ?
Après que les bocaux ont refroidi durant 24 heures, vérifiez les couvercles en métal et les bandes de vissage. Si le couvercle est légèrement rentré à l'intérieur au centre, un vide satisfaisant a été fait et le bocal est scellé. Mais si le couvercle n'a pas de dépression au centre et qu'il demeure toujours relevé, c'est un signe que quelque chose a empêché un scellage parfait. Le bocal peut être trop rempli, il y a peut-être une écorchure sur le bord ou une particule d'aliment peut être coincée entre le bord du bocal et le scellage.

Peut-on tourner les bocaux ou les renverser de haut en bas pour en vérifier l'herméticité ?
Les bocaux scellés à vide ne devront pas être renversés de haut en bas, à moins que cela ne soit nécessaire pour répartir uniformément l'acide ascorbique ; cela peut briser le scellage.

Que faire si l'herméticité d'un bocal n'est pas parfaite ?
Restérilisez ou réfrigérez le bocal et consommez l'aliment le plus tôt possible.

Y a-t-il des conséquences si des bulles apparaissent dans le bocal, après qu'il est retiré du stérilisateur ?
Non. Des bulles apparaissent souvent dans le bocal, après sa sortie du stérilisateur, parce que l'aliment qu'il contient est encore bouillant. Ordinairement, les bulles disparaissent lorsque le bocal est complètement refroidi.

Les bocaux doivent-ils refroidir dans le bain d'eau ?
Non, car les aliments seraient trop cuits.

L'eau doit-elle couvrir complètement les bocaux dans le bain d'eau ?
Oui, d'au moins un pouce. Si le niveau de l'eau diminue durant la stérilisation, ajoutez de l'eau bouillante, afin de garder les bocaux couverts.

*Les spores de la bactérie **clostridium botulinum** peuvent-elles être réellement détruites à la température de l'eau bouillante, simplement si la stérilisation des bocaux dans un*

stérilisateur à bain d'eau est plus longue que dans un stérilisateur à vapeur sous pression ?

Non. Le seul moyen efficace de détruire *clostridium botulinum* c'est la stérilisation à vapeur sous pression. Ainsi, les
aliments dans les bocaux atteindront 240F (115C). (Au
niveau de la mer, 240F est atteint à 10 livres de pression.)

*Y a-t-il des méthodes spéciales pour la stérilisation à de
hautes altitudes ?*

Oui. Comme la pression atmosphérique diminue à de hautes
altitudes, le point d'ébullition de l'eau s'abaisse. Pour
remédier à cela, il faut utiliser une pression plus haute pour
la cuisson et la stérilisation, afin d'assurer une température
de stérilisation de 240F (115C). Si votre stérilisateur à vapeur
sous pression est muni d'une pesée, utilisez 15 livres de
pression au lieu de 10 livres, à 2,000 pieds ou plus au-
dessus du niveau de la mer. Si votre stérilisateur est muni
d'un cadran à pression, la pression devra être augmentée
d'une livre pour chaque 2,000 pieds (ou suivez les instructions du fabricant.)

*Pourquoi utilise-t-on toujours une claie dans un stérilisateur
à vapeur sous pression ou bain d'eau bouillante ?*

La claie éloigne les bocaux du fond du stérilisateur. Les
bocaux placés directement sur le fond du stérilisateur ris-
quent de se briser.

*Faut-il placer un couvercle sur le stérilisateur à bain d'eau
bouillante ?*

Oui. Par économie de combustible et pour prévenir une trop
grande évaporation de l'eau.

152

Comment compter le temps de stérilisation pour la méthode de remplissage à chaud et à froid ?
Avec un stérilisateur à pression, le temps de stérilisation débute lorsque le cadran ou le régulateur à pression indique la pression requise (ou suivant les instructions du fabricant). Avec un stérilisateur à bain d'eau bouillante, le temps de stérilisation commence lorsque l'eau entourant les bocaux, commence à bouillir.

Pourquoi le temps de stérilisation varie-t-il selon les différents aliments ?
La durée de stérilisation est déterminée par le temps que met la chaleur à pénétrer les aliments au centre du bocal. Par exemple, la chaleur est plus lente à pénétrer des aliments comme les courges, qu'elle ne l'est à pénétrer les pois.

Le temps de stérilisation est toujours plus long que celui de la cuisson. Pourquoi ?
Dans la mise en conserve, les aliments doivent être stérilisés suffisamment longtemps et à une température assez élevée pour tuer tous les organismes de corruption. Dans la cuisson, les aliments seront chauffés seulement assez longtemps pour les rendre tendres et savoureux.

Les aliments acides doivent-ils être stérilisés dans un stérilisateur à vapeur sous pression ?
Oui. Utilisez cinq livres de pression au lieu de dix livres. La stérilisation n'est pas nécessaire du point de vue sécurité, mais elle vous fait épargner du temps. Elle demande de un tiers à une demie moins de temps que la stérilisation par bain d'eau.

Comment calibrer un cadran à pression ?
Habituellement, il faut le retourner chez le fabricant. Cependant, vous trouverez dans votre localité des magasins possédant l'équipement nécessaire pour vous offrir ce service.

Si les aliments mis en conserve semblent trop cuits, peut-on 153

réduire le temps de stérilisation pour améliorer leur appa-
rence et leur goût ?
Non. Si le temps de stérilisation est réduit, les aliments ne
pourront probablement pas être consommés sans risques.

Qu'est-ce que la stérilisation au four ?
C'est une méthode ancienne qui n'est plus recommandée
parce que la température des aliments dans les bocaux n'atteint pas un degré suffisamment élevé pour détruire tous les
organismes de corruption. De plus, les bocaux peuvent se
sceller durant cette méthode de stérilisation et exploser,
endommageant le four et peut-être, vous blesser.

Pourquoi le botulisme est-il impliqué dans les aliments mis
en conserve, mais ne l'est pas dans ceux qui sont cuits pour
consommation immédiate ?
Clostridium botulinum est une bactérie anaérobie, ce qui
veut dire qu'elle se développe seulement en l'absence de
l'air. Un bocal rempli d'aliments à faible teneur d'acide et
scellé devient un milieu parfait pour la croissance de spores.
Les aliments préparés pour consommation immédiate n'of-
frent pas aux spores l'opportunité de se développer et de
produire une toxine.

Quelle est la cause de la fuite de liquide dans les bocaux
durant la stérilisation ?
Les bocaux sont peut-être trop pleins, ou remplis trop fermement. Laissez toujours un espace de tête de ½ à 1 pouce
entre la surface des aliments et le couvercle. Puisque les aliments et le liquide prennent de l'expansion lorsqu'ils sont
bouillis, l'espace de tête doit être adéquat, sinon le liquide
s'échappera.

Les bulles d'air comprimées dans les bocaux n'ont pas été
libérées. Après que les bocaux sont remplis avec les aliments et le liquide, et avant que le couvercle soit mis en
place, passez une lame de couteau propre à l'intérieur du
bocal, de bas en haut, en plusieurs endroits, afin de libérer
ces bulles d'air. Si cela n'est pas fait, le liquide s'échappera
154 lorsque les aliments commenceront à bouillir.

La pression peut avoir varié durant la stérilisation. Précipiter la baisse de la pression après la stérilisation peut aussi être la cause de la fuite du liquide. Le cuiseur doit toujours être retiré du feu et laissé à refroidir normalement à la température de la pièce. Ne versez pas d'eau sur le cuiseur et ne le placez pas dans l'eau froide. Ne le déposez pas non plus sur une surface froide ou dans un courant d'air. Ne poussez pas fréquemment le contrôle pour vérifier la pression. Tous ces gestes peuvent faire tomber la pression trop rapidement aussi bien dans le cuiseur que dans les bocaux, laissant ainsi s'échapper le liquide. Retirez tout simplement le cuiseur du feu et, après 20 ou 25 minutes, poussez le contrôle pour vérifier la pression. Après cette période de temps, la pression est habituellement descendue et le contrôle et le couvercle peuvent être enlevés.

Si du liquide s'est échappé d'un bocal durant la stérilisation, est-il possible de le remplir à nouveau en y ajoutant de l'eau ?
Non, à moins que vous le restérilisiez entièrement à nouveau. Si l'herméticité est brisée et que quelque chose est ajouté dans le bocal, les bactéries peuvent s'y introduire et, alors, une complète restérilisation sera nécessaire. Si on a eu recours à de bonnes méthodes, les aliments dans les bocaux qui ont perdu du liquide pourront être consommés sans danger, même si leur apparence diffère des aliments couverts de liquide.

Les fruits et les légumes peuvent-ils être mis en conserve sans chauffage, si on substitue l'aspirine au chauffage ?
Non. L'aspirine n'empêche aucunement la corruption. Un traitement adéquat à la chaleur est la seule bonne méthode.

Est-il bon d'utiliser des antiputrides dans la mise en conserve à la maison ?
Non. Certaines poudres à conserve ou préservatifs chimiques sont nuisibles.

Durant combien de temps les conserves faites à la maison peuvent-elles être gardées ?

155

Il est recommandé de les consommer en dedans d'une année, avant qu'elles ne perdent leur fine saveur. Peu de maisons possèdent un espace de rangement adéquat pour l'emmagasinage d'aliments en quantités plus grandes que pour plus d'une année, et le réapprovisionnement de la plupart des aliments doit se faire chaque année.

Qu'est-ce qui cause la corruption des aliments conservés ?
La corruption est causée par les moisissures, les levures, les bactéries et les enzymes. Lorsqu'il y a une stérilisation insuffisante, une herméticité incomplète des bocaux, un manque de soins dans la manipulation des aliments et de l'outillage, lorsque les contenants sont laissés en attente et froids avant la stérilisation, ou qu'ils sont refroidis trop lentement après la stérilisation, ces agents destructeurs peuvent demeurer actifs.

Comment la chaleur ou le froid peuvent-ils affecter les aliments conservés ?
Une chaleur excessive peut détruire l'herméticité d'un bocal en causant la dilatation de son contenu. Un endroit de remisage chaud favorise la croissance rapide des microorganismes. La congélation et la décongélation affectent la saveur et la texture des aliments conservés.

Est-il prudent de consommer un aliment mis en conserve à la maison si le liquide est brouillé ?
Le liquide brouillé peut être un signe de corruption. Mais il peut aussi être causé par les minéraux qui se trouvent dans l'eau dure, ou par l'amidon des légumes très mûrs. Si le liquide est brouillé, faites bouillir l'aliment. Ne goûtez ou ne consommez aucun aliment qui produit de l'écume durant le chauffage, ou aucun aliment qui dégage une étrange odeur.

Les pois troubles sont-ils toujours un signe de corruption ?
Non, pas nécessairement. S'il n'y a pas de mauvaise odeur ou d'autre signe de corruption, l'aspect trouble est probablement dû soit à une stérilisation prolongée ou à l'emploi de pois trop mûrs.

Les aliments avariés peuvent-ils toujours être décelés par les changements dans leur apparence, leur odeur ou leur goût ?
Non, pas toujours. Les aliments en mauvais état de conservation n'ont pas nécessairement un mauvais aspect et une mauvaise senteur. D'autre part, certains changements de couleur peuvent naturellement se produire dans les aliments mis en conserve adéquatement. La maîtresse de maison qui utilise de bonnes méthodes de mise en conserve ne doit pas s'en inquiéter. Un aliment vous paraît-il suspect, faites-le bouillir fortement dans une casserole découverte, au moins 10 à 20 minutes, avant d'y goûter.

Qu'est-ce que le « suri » ?
Le suri est la corruption causée par les bactéries qui donnent aux aliments un goût sûr.

Qu'est-ce qui cause le « suri » ?
Le « suri » est habituellement causé par la mise en conserve d'aliments trop mûrs ou avariés, ou par une attente prolongée des aliments cuits, dans les bocaux, avant la stérilisation. Cela peut amener la croissance d'organismes qui produisent de l'acide (sûr) mais pas de gaz (plat). Un refroidissement trop lent des bocaux après leur stérilisation peut aussi en être la cause. C'est un signe de corruption. Pour éviter le « suri » utilisez des produits frais et procédez adéquatement à leur stérilisation, au refroidissement des bocaux et à leur rangement.

Les aliments peuvent-ils être mis en conserve sans sel ? Sans sucre ?
Oui. Le sel et le sucre sont utilisés seulement pour donner plus de saveur et ils peuvent être omis pour des raisons de régime.

Les morceaux d'aliments qui touchent le couvercle d'un bocal sont-ils avariés ?
Non.

157

Qu'est-ce qui produit des changements de couleur dans les aliments en conserve ?

Le noircissement des aliments sur le dessus d'un bocal peut être causé par l'oxydation due à l'air dans le bocal. Il peut aussi être causé par un chauffage inadéquat ou une stérilisation qui n'a pas détruit les enzymes. Une stérilisation prolongée peut aussi causer la décoloration des aliments à travers le contenant. La couleur rose ou bleue remarquée parfois dans les poires, les pommes et les pêches en conserves est causée par des changements chimiques dans la substance colorante de ces fruits.

Les ustensiles de cuisson en fer ou en cuivre, ou les minéraux de certaines eaux, peuvent rendre certains aliments bruns, noirs ou gris.

Lorsque le maïs en conserve devient brun, cette décoloration peut dépendre de la sorte de maïs utilisée, de son degré de maturité ou d'une stérilisation prolongée.

Les légumes en conserve devront-ils être cuits à nouveau avant d'être goûtés ou consommés ?

Oui. Les légumes devront être retirés du bocal, placés dans une casserole avec leur liquide, et amenés à ébullition, à découvert, puis bouillis fortement durant au moins 10 minutes.

Pourquoi les aliments se corrompent-ils quelquefois, après des mois de rangement ?

Bien que cela se produise rarement, la corruption provient parfois de ce que l'endroit de rangement est trop chaud. De plus, quelquefois des particules d'aliments se logent sur le bord du bocal et adhèrent au scellage. Comme elles se désintègrent graduellement, une mince ouverture se fait, permettant ainsi à l'air de pénétrer dans le bocal.

Pourquoi faut-il remiser les aliments dans un endroit obscur et frais ?

La lumière décolore les aliments et détruit la riboflavine. Pour qu'ils conservent leur meilleure saveur, les aliments devront être remisés dans un endroit obscur, où la température se maintient entre 50 et 60F (10 et 15.5C).

*Pourquoi la gelée ne parvient-elle pas à prendre quelque-
fois ?*

Il y a plusieurs raisons : l'emploi de fruits trop mûrs ou man-
quant de pectine ; un temps d'ébullition trop court avant ou
après l'addition du sucre ; une trop grande quantité de sucre
en proportion de la pectine et de l'acide contenus dans le jus
de fruit ; la température. On ne doit jamais préparer de la
gelée par une journée très humide.

NOTA : Quelquefois, la gelée ne prend pas complètement
avant deux ou trois jours.

Qu'est-ce qui fait que la gelée est dure ?

Si le jus de fruit est bouilli trop longtemps après l'addition du
sucre, ou s'il n'y a pas assez de sucre en proportion de la
pectine et de l'acide du jus de fruit, la gelée peut être dure.
Certains fruits, comme les groseilles et les pommettes, qui
contiennent beaucoup de pectine et d'acide, demandent une
proportion de sucre élevée pour faire une gelée tendre. Si
plus d'eau est ajoutée à ces fruits, une plus petite quantité
de sucre doit être utilisée.

Pourquoi la gelée n'est-elle pas toujours claire ?

Une gelée trouble peut résulter de : serrement du sac de
gelée durant l'égouttement, ce qui peut faire tomber des
particules de fruit dans le jus ; une trop grande quantité de
fruits pas tout à fait mûrs ; un écumage incomplet de la gelée
avant de la verser dans les verres à gelée.

Qu'est-ce qui fait une gelée suintante ?

Le suintage est habituellement causé par la présence de
trop d'acide dans le jus de fruit. On peut remédier à cet in-
convénient en mélangeant un jus contenant beaucoup
d'acide avec un autre à faible teneur d'acide.

Qu'est-ce qui forme les cristaux dans la gelée ?

La formation de cristaux de sucre peut résulter de l'une des
quatre causes suivantes : un surplus de sucre ; un acide
insuffisant ; une cuisson prolongée ; une attente trop longue
avant le scellage.

NOTA : Dans la gelée de raisins, les cristaux peuvent être grandement réduits si on laisse reposer le jus durant plusieurs heures dans un endroit frais avant de faire la gelée. Les cristaux se fixeront dans le fond du contenant et le jus pourra alors être versé.

9. Congélation

Plusieurs contenants utilisés pour la mise en conserve à la maison sont également excellents pour la congélation. Ils ont l'avantage d'être hermétiques et, par conséquent, ils protègent les aliments de l'assèchement et de la perte de saveur. Les contenants de verre étant transparents, ils permettent de voir les aliments. Vous utilisez peut-être des bocaux pour congeler, durant une courte période, des aliments tels que sauce à spaghetti, sauce Chili ou des restes divers. Mais ils conviennent aussi parfaitement pour les fruits et les légumes frais et les confitures à congeler.

NOTA : Avant d'utiliser vos bocaux à conserve pour la congélation, vérifiez les instructions du fabricant concernant leur usage, car tous ne peuvent pas se prêter à cet usage.

Bien que vous puissiez utiliser des bocaux de toutes les grandeurs, il est préférable de vous servir, en premier lieu, de ceux d'une chopine, car ils congèlent rapidement et prennent un minimum d'espace dans le congélateur. Vérifiez chaque bocal afin de vous assurer qu'il n'est ni écorché ni fêlé. Lavez les bocaux dans une eau chaude savonneuse, rincez-les parfaitement, puis ébouillantez-les. Renversez-les sur un papier absorbant pour les égoutter et laissez-les refroidir. Remplissez-les ensuite avec les aliments préparés, en laissant un espace de tête de ½ pouce s'il n'y a pas de liquide et de 1 pouce s'il y en a. Remplissez les bocaux fermement sans toutefois trop tasser les aliments, car ils se dilateront durant la congélation. Scellez avec des couvercles propres, datez et placez au congélateur.

Si vous possédez un potager, ou si vous avez l'opportunité de vous procurer des fruits et des légumes frais, la congélation vous permettra d'avoir ces produits frais durant toute l'année.

Choisissez les légumes jeunes et tendres, avant qu'ils ne deviennent trop mûrs ou trop féculents ; afin d'en

161

préserver le goût, la texture et la couleur, congelez-les le plus rapidement possible après la cueillette. Un délai de deux heures entre la cueillette et la mise au congélateur est une bonne norme à suivre. N'utilisez pas de légumes qui ne sont pas parfaitement frais.

Travaillez rapidement et par petite quantité à la fois. Tous les légumes doivent être blanchis avant la congélation. Aussi il serait nécessaire que vous consultiez un livre de cuisine traitant de la congélation afin de connaître le temps précis et les méthodes particulières de blanchiment et de préparation des légumes à congeler.

Les fruits et les baies à congeler devront être fraîchement cueillis, fermes et pleinement mûrs. Les fruits peuvent être plus mûrs que pour la mise en conserve, mais ils ne devront pas être mous. Triez les baies en retirant celles qui ne sont pas mûres, trop mûres ou meurtries. Lavez parfaitement, mais délicatement, les baies à l'eau froide. Ne les laissez pas tremper dans l'eau. Égouttez-les dans une passoire ou étendez-les sur une serviette de papier. Équeutez les baies et pelez les fruits avant la congélation. Congelez les petites baies entières et tranchez les plus grosses et les fruits.

Les fruits de couleur claire, tels que les pêches, les nectarines et les pommes, peuvent noircir s'ils sont exposés à l'air avant d'être complètement congelés ou pendant leur décongélation dans des bocaux ouverts. Pour éviter cela, ajoutez un mélange d'acide ascorbique durant la préparation. Cet acide peut être acheté à l'épicerie ou à la pharmacie. Suivez le mode d'emploi sur l'étiquette.

Il y a trois méthodes pour congeler les fruits. Essayez-les toutes les trois et choisissez celle qui vous convient le mieux.

Les ananas, plusieurs baies, la rhubarbe, les canneberges et les pommes blanchies peuvent être congelées sans l'addition de sucre ou d'un sirop. La fraise est la seule baie qui ne peut être congelée de cette manière. Préparez les fruits, remplissez les bocaux jusqu'au bord, fermez-les, datez-les et placez-les au congélateur.

Un mélange de fruits et de sucre peut être utilisé pour n'importe quel fruit ou baie. Tranchez les fruits directement dans les bocaux en faisant alterner un rang de fruits et un rang de sucre. Commencez avec ¼ tasse de sucre pour chaque chopine ou livre de fruits et variez la quantité de sucre selon votre goût personnel. Faites alterner dans un bol une pinte de fruits préparés et ½ tasse de sucre, puis pressez doucement pour répartir uniformément le sucre. Ajoutez le mélange d'acide ascorbique, si nécessaire. Remplissez les bocaux en laissant un espace de tête de ½ à ¾ pouce, pour faciliter l'expansion durant la congélation. Fermez les bocaux, datez-les et rangez-les.

Le sirop peut être utilisé dans la congélation de n'importe quel fruit ou baie.

Préparez le sirop la veille et réfrigérez-le. Pour un sirop de 30%, mélangez 2 tasses de sucre avec 4 tasses d'eau et remuez jusqu'à ce que le sucre soit dissous. Pour un sirop à 40%, mélangez 3 tasses de sucre avec 4 tasses d'eau. Si le mélange d'acide ascorbique est utilisé, ajoutez-le au sirop juste avant que ce dernier soit ajouté aux fruits. Mettez ⅓ tasse de sirop refroidi dans un bocal, puis ajoutez les fruits préparés. Si nécessaire, ajoutez un peu plus de sirop afin de bien couvrir les fruits. Laissez un espace de tête de ½ à ¾ pouce pour l'expansion. Placez un papier ciré chiffonné sur le dessus afin de garder les fruits dans le sirop. Fermez les bocaux, datez-les et rangez-les.

La confiture de fruits sans cuisson est un atout spécial pour votre congélateur. Cette confiture possède réellement la saveur du fruit frais et peut se conserver au congélateur durant un an.

Confiture de fraises sans cuisson
5 à 6 bocaux de huit onces

---

2 tasses de fraises broyées (environ 1 pinte)
4 tasses de sucre
1 paquet (1¾ once) de pectine en poudre.

Lavez les bocaux et les couvercles, ébouillantez et égouttez. Triez les fraises mûres, lavez-les et équeutez-les. Broyez-les et mesurez-les. Ajoutez le sucre et mêlez parfaitement. Mélangez la pectine et ¾ tasse d'eau dans une petite casserole. Amenez à ébullition, puis laissez bouillir 1 minute, en remuant constamment. Ajoutez les fraises et continuez de remuer durant 3 minutes. Quelques cristaux de sucre demeureront. Versez rapidement dans les bocaux et couvrez immédiatement avec les couvercles. Laissez reposer à la température de la pièce jusqu'à ce que la confiture soit prise, environ 24 heures. Datez et placez au congélateur.

Index

Abricots
    Abricots en conserve 53-54
    Beurre d'abricots 97-98
    Confiture d'abricots frais 78
    Confiture d'abricots secs et d'ananas 78-79
    Confiture de rhubicot 79
Acide ascorbique 49, 147, 162-163
Acides (aliments) 18, 71, 153, 162-163
Acide (aliments faibles en) ....
Additifs chimiques ....
Agents de corruption 19, 21
Altitudes et temps de stérilisation
    pour fruits et légumes acides 46-47
    pour légumes 62
    pour marinades 118
    méthodes spéciales 152
Ananas
    Confiture d'abricots et d'ananas 78
    Marmelade d'ananas 92
Asperges 67
Bactéries. Voir micro-organismes, *clostridium botulinum*
Baies
    Confitures de baies 76
    Baies en conserve 54
Bain d'eau bouillante. Voir stérilisateur à bain d'eau
Betteraves
    en conserve 67
    fanes de betteraves. Voir légumes verts
    marinés 133-134
    relish de betteraves 140-141
Beurres,
    recettes. Voir aussi confitures 71, 97, 100
Bleuets 54
Bocaux et fermetures
    bris 149

dépôt laiteux 149
nettoyage 42
ouverture 45
pour la congélation 161
pour les marinades 115-116
pour les tartines 74-75, 102
refroidissement.. 42-43
scellage 40-41, 150-151
stérilisation 41-42, 148-149
Botulisme (poison). Voir aussi *clostridium botulinum*
Brandy,
    fruits au...58
    pêches au 59
Carottes
    en conserve 68
    sucrées marinées 131
Canneberges,
    Conserve de canneberges et noix de Brésil...........87
    Relish de canneberges 138
Cerises
    confiture de 82
    en conserve 84
Champagne, gelée 111
Châtaignes au rhum.......................................60
Champignons 69
Choix des fruits et des légumes ....
Choucroute...121, 123
Citrouille...59
Clostridium botulinum.................17-18, 61, 63-64, 152
Concombres
    à marinades 113
    au fenouil...126
    marinades à la moutarde 124-125
    marinades au fenouil Kosher 126
    marinade rapide aux concombres...............128-129
    marinés 125-126
    relish sucrée 139
    tranches de concombre 128

tranches de concombre au cari 127
Confitures
    consistance 73
    méthode générale pour faire les confitures 75-76
    préparation des bocaux 74-75
    recettes 76, 82
    remplissage des bocaux 74
    scellage à la paraffine 75
    sucre 71
    teneur en acide et pectine 72
Congélation 161-163
Conseil sur la mise en conserve 22
Conserves
    recettes. Voir aussi *confitures* 58
Corruption des aliments en
conserve 13-18, 149, 152, 154, 156-158
Courges 27, 69
Cynorrhodons, gelée 109
Décoloration 48, 147, 157-158
Enzymes...13, 19, 46
Épices à marinades 115
Épinards. Voir *légumes verts*
Espace de tête
    insuffisance..154
    pour confitures 74
    pour fruits 49
    pour gelées..104
    pour légumes 63
    pour marinades 117
Évaluation des quantités 25-27
Fraises
    conserve de fraises......................................82
    conserve de fraises et citron............................83
    confiture de fraises et rhubarbe 79
    confiture de fraises sans cuisson......................164
    fraises en conserve 56
    gelée de rhubarbe et fraises...........................110
    marmelade de rhubarbe et fraises 92

Framboises
    confiture de framboises et prunes 77
    framboises en conserve 54
Fruits et légumes
    congélation 161-163
    décoloration 48, 147
    fruits au brandy 58
    méthode générale de mise en conserve 49-51
    mise en conserve sans sucre 51
    préparation 48
    sirops 47-48
    stérilisation par bain d'eau 46-47, 49-51
    stérilisation par vapeur sous pression 52
    tableaux de recettes 53-57
    teneur de pectine et d'acide 72
Gelée
    consistance 103, 159
    cuisson 103
    cristaux de sucre dans la gelée 160
    extraction du jus des fruits 102, 159
    méthode générale pour faire la gelée 104-105
    préparation des bocaux 102
    recettes 106-111
    remplissage des bocaux 104
    scellage avec paraffine 75
    sucre 71, 105, 160
    tableaux des jus de fruits 105
    teneur en acide et pectine 71, 159
Groseilles,
    confiture de groseilles 77
    gelée de groseilles (Bar-le-Duc) 109
    groseilles à maquereau 54
Guide de planification alimentaire 11-12
Haricots
    Marinade d'haricots verts au fenouil 133
    Haricots en conserve 67
Légumes
    congélation 161-162

corruption 63-64, 66
méthode générale de mise en conserve 64-65
remplissage à chaud 63
tableaux de recettes 67-69
temps de stérilisation 62
Légumes verts 67-69
Levures. Voir *micro-organismes*
Maïs
   chow-chow de maïs 142
   maïs en conserve 68
   relish de maïs 141
Marinades. Voir aussi *marinades saumurées*
   causes de la mauvaise qualité des marinades 119
   ingrédients 113-115
   marinades de fruits 113-114
   méthode générale pour faire les marinades 116
   outillage 115-116
   recettes 119-135
Marmelades
   méthode générale pour faire les marmelades 89
   recettes. Voir aussi *confitures* 90-96
Marmelades de fruits
   recettes. Voir aussi *confitures* 90-96
   marmelade ambrée 96
   marmelade écossaise 90
   marmelade kumquat................................... 95
   marmelade de lime 95
Melon
   confiture de pêches et cantaloup..................... 80
   marinade de melon d'eau 132
Méthodes de mise en conserve et outillage
   aspirine 155
   additifs chimiques 18, 156
   mise en conserve dans marmite ouverte 28, 146
   stérilisation au four 154
   stérilisation par bain d'eau 29, 151-153
   stérilisation par vapeur sous pression ... 30, 52, 61, 153
Méthodes de remplissage. Voir aussi *remplissage*

à *froid, à chaud* 148

Mise en conserve
raisons de faire la mise en conserve 9

Micro-organismes
bactéries. Voir aussi *clostridium botulinum* 15-18
description des bactéries 15-18
tableaux des bactéries 20-21
moisissures
description 14
dans les aliments acides 46
tableaux des moisissures 19
levures
description ..... : 15
daans les aliments acides 46
tableau des 19

Moisissures. Voir *micro-organismes*

Moutarde (marinade à la —) 124

Mûres..54

Octobre (beurre d' —) 98

Oranges
gelée d'oranges 107
gelée d'oranges au sauternes 108
marmelade ambrée 96
marmelade écossaise 90

Outillage................................. 30-36, 115-116, 150

Pamplemousses
conserve de pêches et pamplemousses 88
marmelade ambrée 96

Paraffine... 75

Pêches
confiture de pêches 81
confiture de pêches et cantaloup..................... 80
confiture de pêches et prunes......................... 80
conserve de pêches caramel 85
conserve de pêches et pamplemousses 88
marmelade de pêches et oranges..................... 94
pêches au brandy 58
pêches en conserve 55

pêches marinées 134
Pectine
  commerciale. 72
  dans fruits 72
  essai dans gelées 102
  essai de pectine 72
  naturelle 71
Perte de liquide 154-155
Piccalilli 142
Planification annuelle de la mise en conserve 10
Planification et organisation 21-22
Poires
  marmelade de poires et gingembre 93
  poires en conserve. 55
  poires marinées 135
Pois 69
Pommes
  beurre de pommes 97
  beurre d'octobre 98
  beurre de pommes au porto. 98
  chutney de pommes 137
  compote de pommes 53, 105
  conserve de tomates et pommes. 89
  gelée de pommes. 106
  gelée de pommes et de menthe. .107
  marmelade de pommes 93
  pommes en conserve. 53
Pommettes (marinade de —) 130
Prunes
  confiture de prunes et pêches. 80
  conserve de prunes Damson 87
  confiture de prunes et framboises 77
  prunes en conserve 56
Raisin
  conserve de raisin 86
  gelée de raisin 106
Rangement des conserves. 159
Relish

pour hot dog 140

recettes de relish 136-141

sucrée 139

Remplissage

à froid ou cru 146-148

à chaud 146

Rhubarbe

confiture de fraises et rhubarbe 79

confiture de rhubicot 79

gelée de rhubarbe et fraises.........................110

marmelade de rhubarbe 92

rhubarbe en conserve 56

Sauces

Chili...144

Sel 63, 114, 157

Sirops 47-48

Spores (bactéries formant des —) 20

Stérilisateur par bain d'eau....................30, 152-153

Stérilisateur à vapeur sous pression........31-32, 153-154

Stérilisation. Voir aussi *méthodes de mise en conserve*

au four

par bain d'eau. Voir *méthode de mise en*

conserve à vapeur sous pression. Voir *méthodes*

de mise en conserve 29

temps de stérilisation................................153

Sucre

dans marinades.......................................114

dans confitures..71

mise en conserve sans sucre.................51, 158-159

Suri 15-18, 157

Thermophiles, bactéries 20

Tomates

en conserve 57

beurre de tomates 99

conserve de tomates et pommes.......................89

conserve de tomates jaunes 84

ketchup aux tomates 143

marmelade de tomates................................91

marinade de tomates vertes 129
relish de tomates vertes 136
sauce Chili 144
Toxines 21
Végétatives, bactéries 20
Vitamines, conservation des 24
Verres à gelée 37
Vinaigre 114

Achevé d'imprimer
en juillet mil neuf cent soixante-seize
sur les presses de l'Imprimerie Gagné Ltée
Saint-Justin - Montréal, Qué.